Dra. Sylvana Braga

Dieta ortomolecular

Dra. Sylvana Braga

Dieta
ortomolecular

2ª reimpressão – junho/2010

novo século®

São Paulo 2009

PRODUÇÃO EDITORIAL	Equipe Novo Século
CAPA	Guilherme Xavier / gxavier.com
PROJETO GRÁFICO	Guilherme Xavier
COMPOSIÇÃO	Cintia de Cerqueira Cesar
PREPARAÇÃO DE TEXTO	Marco Pacce
REVISÃO	Patrícia Murari
	Salete Milanesi

Dados internacionais de catalogação na Publicação (CIP)
(Câmara Brasileira do Livro, SP, Brasil)

Braga, Dra. Sylvana
Dieta ortomolecular / Dra. Sylvana Braga. --
Osasco, SP : Novo Século Editora, 2009.

Bibliografia.

1. Doenças - Causas 2. Medicina preventiva
3. Radicais livres (Química) 4. Saúde -
Aconselhamento 5. Saúde - Promoção 6. Terapia
ortomolecular I. Título.

CDD-615.854
08-03452 NLM-WB 300

IMPRESSO NO BRASIL
PRINTED IN BRAZIL
DIREITOS CEDIDOS PARA ESTA EDIÇÃO À
NOVO SÉCULO EDITORA
Rua Aurora Soares Barbosa, 405 – 2º andar
CEP 06023-010 – Osasco – SP
Tel. (11) 3699-7107 – Fax (11) 3699-7323
www.novoseculo.com.br
atendimento@novoseculo.com.br

Meus agradecimentos à minha família, que esteve ao meu lado na elaboração deste livro.

Dedico este livro à minha querida mãe, que soube me ensinar a ser forte e a olhar para a frente, apesar das dificuldades do caminho.

Sumário

Introdução

Minha caminhada pela Medicina foi longa. Quando me formei pela Universidade Federal do Rio de Janeiro – UFRJ, após realizar dois anos de Residência em Clínica Médica e dois em Reumatologia no Hospital dos Servidores do Estado do Rio de Janeiro, senti uma grande necessidade de especializar-me em Fisiatria e tratar dos deficientes físicos na área de Ortopedia e Reumatologia. Surgiu então, tratando das pacientes com osteoporose e osteoartrose, a curiosidade de introduzir novos conceitos terapêuticos.

Durante meu período no Monte Sinai Hospital, em Nova York, pesquisei medicamentos ortomoleculares que poderiam reverter o curso da osteoartrose em 1983. Na época, eu tratava de uma paciente médica de 83 anos que me pedira para trazer algo novo para sua artrose de joelho que tanto a incomodava. Trouxe um medicamento até então desconhecido pelos médicos brasileiros e a tratei por um ano com excelentes resultados.Percebi então, a grande importância destes componentes na melhora celular e revitalização dos tecidos articulares.

Comecei a pesquisar mais e adentrei-me na área Ortomolecular como alternativa ao tratamento de reposição hormonal em mulheres no climatério. As respostas foram satisfatórias e complementavam o tratamento de osteoporose. Iniciei a Prática Ortomolecular em1995. Neste período pude fundamentar meus conhecimentos na prática e entendimento, dos processos biológicos e mecanismos do metabolismo de nosso organismo. Em 2006 comecei a elaboração de uma dieta que fosse natural e pudesse apresentar os conceitos desta medicina.

Criei então a Dieta Ortomolecular, fundamentada nos conceitos atuais dos distúrbios metabólicos da obesidade e suas conseqüências como a síndrome plurimetabólica.

Aprendi que o excesso de peso deve ser tratado como doença e, exige uma reeducação alimentar e a prescrição de medicamentos. Os mais "naturais" possíveis tentando tratar a obesidade e o sobrepeso como doença ou distúrbio metabólico, nunca inibindo a fome e sim descobrindo o "porque" da mesma; que é um mecanismo compensatório do organismo.

A fome é um dos principais sintomas deste distúrbio e não deve ser inibida, mas, utilizada como parâmetro de acompanhamento.

Esta é, portanto, uma dieta baseada na reeducação alimentar, e trata a obesidade de maneira definitiva.

Apresentação

Sou talvez a paciente mais antiga da Dra. Sylvana Gonzaga Braga. Há mais de três décadas ela é minha médica, quando ainda no Rio de Janeiro concluiu a residência de três anos em Reumatologia e abriu seu primeiro consultório, no então pouco explorado bairro do Leblon.

Acompanhei seus estudos, suas especializações, pois, sempre muito curiosa e estudiosa, ela foi evoluindo nos novos caminhos do mundo da Medicina que se abriam.

Recordo-me, ainda, que quando eu já morava em São Paulo e ia ao Rio de Janeiro a negócios, buscava encaixar um horário para ver a Dra. Sylvana e fazer a minha revisão médica com ela. Sempre havia novidades nas orientações, conselhos e novas tecnologias.

Participei de sua mais completa reformulação de visão clínica, desde o começo, quando, na época, ela já estava em São Paulo e começou adotar uma linha de Medicina Preventiva, a PRÁTICA ORTOMOLECULAR, voltada para a saúde, bem-estar, qualidade de vida. Como ela mesma diz: "Sou uma médica da saúde, não da doença".

Fui uma de suas primeiras pacientes a adotar a sua orientação sobre Prática Ortomolecular. Também foi com muita alegria que pude observar em mim os excelentes resultados de seus tratamentos, quando ela desenvolveu, alguns anos atrás, a dieta ortomolecular, que vem a ser o coroamento de toda uma linha de procedimentos, amplamente testados.

Com tratamentos preventivos, próprios para a maturidade, a *DIETA ORTOMOLECULAR* me proporciona uma infinidade de ganhos e bem-estar, que, além da excelente energia para tocar as atividades do dia-a-dia, me permite ter uma aparência de "menos vinte anos", sem plástica até hoje.

E agora tenho o prazer de escrever estas linhas de apresentação deste livro, que é como um compartilhar com muitos um grande segredo bem guardado há muitos anos.

Nas próximas páginas, a *DIETA ORTOMOLECULAR* está descrita de forma simples, quase didática, para ser seguida por todos que não têm acesso ao seu consultório, sorriso e competência.

É com profunda admiração e honra que apresento este livro da Dra. Sylvana, sonho que está se realizando finalmente, sabendo, desde já, que outras obras virão e que este livro vai lhe abrir caminhos inimagináveis.

É com amor e agradecimento por sua dedicação ao longo destes anos que desejo à Dra. Sylvana Gonzaga Braga, minha irmã querida, toda a sorte em sua empreitada.

SUCESSO!

Dra. Andréa Gonzaga Braga

Capítulo 1
PRÁTICA ORTOMOLECULAR

A Prática Ortomolecular visa o tratamento e a prevenção das doenças por intermédio da eliminação dos radicais livres existentes no nosso corpo. É uma medicina natural que utiliza a alimentação como base de seus fundamentos e a reposição de minerais e antioxidantes para a neutralização dos famosos radicais livres.

Apóia-se também na teoria de que os metais pesados, que são metais de alto peso molecular de difícil eliminação pelo organismo, podem causar danos ao metabolismo celular e comprometer as funções fisiológicas do corpo.

Esses metais pesados estão por toda parte: nos alimentos, que contêm agrotóxicos, nos produtos químicos, nas drogas, nos solventes, nos pesticidas, nos aditivos alimentares, nos herbicidas, na poluição do ar e na água que bebemos.

Dentre os metais pesados encontramos o chumbo, o cádmio, o mercúrio, o arsênico e o alumínio.

Uma das bases da Prática Ortomolecular é que, muitas vezes, estamos intoxicados com esses metais de forma subclínica, de modo cumulativo. A intoxicação se desenvolve de modo lento, provocando um desarranjo das funções vitais. Em algumas ocasiões, esses metais pesados deslocam os minerais essenciais; por exemplo: o cálcio é substituído pelo chumbo e o cádmio substituído pelo zinco. O chumbo desloca o cálcio, ferro, cobre e zinco; e o cádmio desloca o zinco e afeta a absorção de cobre.

Existem mais de dois mil aditivos alimentares e cerca de mais de dez mil produtos químicos que podem contaminar os alimentos.

Dentre os diversos aditivos alimentares, podemos citar os corantes artificiais, os bromatos utilizados nos pães, o dióxido de enxofre na conservação das frutas, os sulfitos e o BTH, usados na conservação dos alimentos para impedir o crescimento das bactérias.

Por outro lado, o modo de preparação dos alimentos, como fervuras e frituras, pode comprometer seriamente a concentração desses minerais.

A Prática Ortomolecular é uma Medicina Preventiva

Os chamados radicais livres são produtos de reações normais de nosso organismo e são eliminados normalmente pelo sistema enzimático antioxidante de nosso corpo.

Nas situações de estresse físico, químico ou emocional, podemos ter um excesso de radicais livres circulantes, que ocasionam desequilíbrio em nosso organismo.

Esse grande contingente de radicais livres bombardeia as células e rompe a membrana celular, afetando as mitocôndrias, organelas responsáveis pela geração de energia. Essa reação altera o DNA da célula e modifica o código genético celular.

Ao mesmo tempo, os radicais livres propiciam um acúmulo de metabólitos tóxicos no espaço intercelular, dificultando as trocas celulares e a entrada e saída de substâncias necessárias ao bom funcionamento de nossas células.

A Prática Ortomolecular é uma área ultra-sensível da medicina moderna, que visa melhorar o metabolismo da célula como unidade mínima de nosso corpo. É como se olhássemos para essa pequena unidade com um microscópio e estudássemos todas as necessidades fisiológicas da célula. A partir dessa observação, ampliamos essa avaliação para toda a economia de nosso corpo.

Sem dúvida, os tecidos dos diversos órgãos têm suas diferenças específicas; contudo, ao observarmos a quantidade de radicais livres circulantes e sua forma de disposição, podemos inferir a propensão a doenças.

A Prática Ortomolecular visa corrigir o metabolismo celular

Sabemos que o melhor sistema antioxidante provém de nossa alimentação. Vegetais, frutas, cereais, grãos, verduras e lacticínios são ricos em minerais essenciais e em vitaminas que neutralizam a produção dos radicais livres em excesso.

A Prática Ortomolecular pode tratar e prevenir, ao mesmo tempo em que promove a saúde. Ela repõe os nutrientes em falta no nosso organismo, elimina as substâncias maléficas, como os metais pesados, que são difíceis de ser eliminados, e pode também incrementar uma quantidade de determinada substância para obtermos algum efeito desejado, como um aporte maior de aminoácidos geradores de energia celular.

CAPÍTULO 2
RADICAIS LIVRES

Radicais livres são átomos ou moléculas em desequilíbrio, altamente reativos, com um ou mais elétrons não pareados, que vêm em busca de outro elétron. Ao tentar seu equilíbrio, o radical livre vai em direção de outro elétron, que pode estar na membrana ou no DNA do núcleo. O radical livre mais perigoso é o oxigênio, que pode se transformar em superóxido e em peróxido de hidrogênio.

Os radicais livres assumem várias formas e aspectos; contudo, os mais notórios são os radicais livres de oxigênio. Na necessidade desesperada de se estabilizarem quimicamente, as moléculas de oxigênio formam o superóxido. Cerca de 95% do oxigênio segue seu metabolismo normal e forma água; os outros 5% se oxidam e formam o radical livre superóxido.

Eliminar todos os radicais livres nos mataria, contudo podemos controlá-los.

Radicais livres são átomos em desequilíbrio

Quando ocorre o desequilíbrio entre a produção e a neutralização de radicais livres em nosso organismo, surge uma situação denominada *estresse oxidativo*, na qual há lesões de diversas estruturas celulares, alteração das trocas iônicas e modificação da estrutura das proteínas, associada à mutação do DNA do núcleo da célula.

A oxidação das células do corpo é o equivalente à oxidação das células de um cano de ferro. Logo, surge o envelhecimento e com ele as doenças associadas. Sabemos que o estresse oxidativo é o causador de várias doenças, entre elas o câncer, o envelhecimento e a arteriosclerose.

Os radicais estão intimamente relacionados a surgimento das doenças degenerativas, assim como em patologias como o diabetes e as alergias.

Muitos oxidantes podem vir dos poluentes do ar, de produtos químicos ou industriais, dos agrotóxicos e da fumaça, do cigarro ou da combustão dos automóveis.

Nossas células são bombardeadas dez mil vezes ao dia pelos radicais livres

Estima-se que cerca de dez mil vezes ao dia nossas células são bombardeadas, e vários antioxidantes circulantes travam essa batalha diária. Contudo, com a escassez desses antioxidantes, as células ficam esgotadas, tornando-se menos eficientes e causando a morte de muitas delas.

O dano dos oxidantes é seletivo. Ele pode ocorrer tanto sobre alguns tecidos como sobre as células do intestino, dificultando a absorção dos alimentos, pode provocar inflamações sobre as articulações, transformar o LDL (colesterol ruim) em uma forma capaz de obstruir as artérias, atacar o material genético das células, destruir células nervosas e danificar o esperma, levando à esterilidade.

Os ácidos graxos polinsaturados também sofrem oxidação, e essa reação provoca alteração nas estruturas da membrana celular.

Para sabermos o grau de estresse oxidativo, podemos fazer o teste do HLB, que visa observar a disposição das hemácias na lâmina, dosar os metais pesados no cabelo, dosar as vitaminas e os minerais essenciais no sangue, dosar o dialdeído malônico no sangue, resultante do processo de lipoperoxidação, e dosar o LDL oxidado, uma lipoproteína oxidada ligada à formação de placas de gordura que ficam ligadas nas paredes das artérias, os ateromas.

Quando nossas células são bombardeadas pelos oxidantes, surge uma poderosa frente de combate proveniente de nossa alimentação, os antioxidantes: glutation, catalase e superóxido dismutase. O glutation e a catalase destroem o radical peróxido de hidrogênio e o superóxido dismutase inibe o indesejável radical superóxido.

Os outros antioxidantes, como albumina, ácido fólico, vitamina C, vitamina E, betacaroteno, ácido alfa lipóico e flavonóides, combatem os demais radicais livres – os radicais hidroxila e o oxigênio singlet – e interrompem a oxidação das gorduras.

O cigarro, a exposição solar, os exercícios físicos exagerados e alguns medicamentos podem também ser responsáveis pelo acúmulo de oxidantes.

Outros fatores que concorrem para o estresse oxidativo

- Obesidade;
- Doenças inflamatórias: faringites, colites, artrites, amigdalites, etc;
- Doenças infecciosas: doenças virais, bacterianas e fúngicas;
- Depressão;
- Ansiedade, medo, síndrome do pânico;
- Queimaduras;
- Excesso de trabalho;
- Traumatismos;
- Poluição atmosférica;
- Radioatividade;
- Inalação de solventes químicos.

CAPÍTULO 3
ANTIOXIDANTES

Com base em inúmeras pesquisas, sabemos que as vitaminas A, C e E são excelentes antioxidantes.

Surgem em cena outros antioxidantes, como o ácido lipóico, os bioflavonóides, a cisteína e o EDTA.

Os alimentos, principalmente as frutas e os vegetais, possuem antioxidantes poderosos. Estudos sobre nutrientes encontrados nos alimentos propiciaram a descoberta de antioxidantes, como quercetina, luteína e licopeno.

Caso sua atividade oxidativa esteja alta e seu aporte de antioxidantes seja pequeno, você corre o risco de sofrer uma lesão celular; por conseguinte, torna-se necessária a ingestão de vitanutrientes antioxidantes.

Sem dúvida, o melhor sistema antioxidante que você pode oferecer para suas células está na sua alimentação. Por intermédio dos alimentos ricos em antioxidantes você pode atacar, interceptar e destruir as moléculas de oxigênio maléficas.

A ingestão de antioxidantes impede os danos causados pelos radicais livres, como rompimento de membranas, agressão às células que rompem seu material genético desestruturando as gorduras, deixando-as rançosas e favorecendo a apoptose celular, isto é, a morte celular.

Ao escolher seus alimentos, procure os mais coloridos, pois quanto mais forte sua cor, maior a quantidade de antioxidantes que eles possuem. Frutas e vegetais frescos têm mais antioxidantes do que os enlatados, aquecidos ou processados.

Alimentos como cebola roxa, alho cru, verduras de folha verde escura, frutas, como goiaba, laranja, melancia, uvas vermelhas, são riquíssimos em antioxidantes.

Os vegetais, como abóbora, cenoura, batata doce, repolho, brócolis e couve-flor, também estão nessa lista.

Os alimentos são os melhores antioxidantes

A DIETA ORTOMOLECULAR utiliza a alimentação funcional como fator determinante de saúde. Sem dúvida, não podemos controlar a qualidade do ar que respiramos (embora possamos ajudar) nem os aspectos emocionais, mas podemos controlar o que comemos. Por meio dos alimentos dirigimos eventos químicos diretamente para nossas células, portanto eles representam uma forma de cuidarmos da saúde e buscarmos a longevidade e a prevenção de doenças.

Apesar de podermos repor todos os nutrientes pela indústria química, sem dúvida priorizamos a ingestão de alimentos naturais como forma de reposição de nutrientes, vitaminas, antioxidantes e enzimas. Tipos variados de alimentos fornecem diferentes substâncias antioxidantes.

É importante lembrar que a alimentação é de sumária importância para a saúde e pode promover tanto a vida como a doença.

Os alimentos funcionais são considerados atualmente verdadeiros remédios pelo fato de possuírem propriedades farmacológicas.

Alimentos antioxidantes

Acerola e laranja – ricas em vitamina C.
Manga, melão e papaia – ricos em vitamina C
Morango e limão – ricos em vitamina C.
Kiwi, couve-flor, pimentão, batata – ricos em vitamina C.
Fígado, batata, carne vermelha, germe de trigo, levedo de cerveja – ricos em ácido lipóico.
Lecitina de soja, couve-flor, ovos, peixes, amendoim – ricos em colina.
Damasco, azeite, óleo de germe de trigo, óleo de milho, óleo de giras-

sol, leite, amêndoas, batata-doce, abacate, óleo de oliva – ricos em vitamina E.

Fígado, leite, ovos, queijo, manteiga – ricos em vitamina A.

Limão, laranja, lima-da-Pérsia, uva, damasco, cereja, ameixa, mamão, pimentão, brócolis – ricos em bioflavonóides.

Castanha-do-Pará, cogumelos, ostras, salmão, germe de trigo, granola, carne vermelha, pão integral, leite, ovos, alho, queijo – ricos em selênio.

Batata, carne vermelha, fígado, germe de trigo, levedo de cerveja – ricos em ácido lipóico.

Chá(verde, branco, preto, vermelho) catequinas, bioflavonoides – vitamina K.

Fígado de boi, avelã, soja, ostras, cevada, castanha-do-pará – ricos em cobre.

Cenoura, espinafre, maracujá, abóbora, acelga, melão – ricos em vitamina A.

Soja, acelga, cenoura, algas, inhame, água de coco, abacate – ricos em potássio.

Ostras, fígado de boi, fava, germe de trigo, iogurte, arroz selvagem – ricos em zinco.

Farinha de soja, semente de abóbora, acelga, espinafre – ricos em magnésio.

Broto de alfafa, chá preto, tofu, espinafre, castanha de caju – ricos em magnésio.

Fígado, ostras, atum, leite, iogurte, queijo, ovos, frango - ricos em vitamina B12.

Couve-flor, banana, frango, fígado, batata, laranja, ovos – ricos em vitamina B6.

Semente de girassol, amendoim, abacate, salmão, laranja – ricos em vitamina B1.

Sardinha, salmão, gema de ovo, fígado, bacalhau, atum – ricos em vitamina D.

Fígado de galinha, feijão, espinafre, lentilha, grão-de-bico – ricos em ácido fólico.

CAPÍTULO 4
METABOLISMO CELULAR

As células são nossa menor unidade do corpo e representam toda a nossa economia como um todo.

Nossos blocos construtores são também denominados de célula e se parecem com tijolos de uma casa, com a diferença que não podem ser vistos a olho nu. A célula é a unidade fundamental dos seres vivos e produz a maioria das substâncias das quais precisamos. Ela absorve aquilo que não pode fabricar e elimina os resíduos desnecessários. Toda a energia gasta é produzida pela própria célula.

As células não trabalham sozinhas, mas acompanhadas umas das outras. Somos um conjunto de células vivas, nem todas iguais, e agrupadas em tecidos que, trabalhando juntos, compõem os órgãos que formam os sistemas.

A célula funciona como um país, e seus componentes podem ser comparados aos diversos setores dessa nação. O núcleo é o governo. As mitocôndrias são as usinas geradoras de energia. O retículo endoplasmático equivale às rodovias e os ribossomas às fábricas. A membrana celular funciona como fronteira com seus postos de alfândega.

No núcleo encontramos moléculas longas, que parecem uma escada retorcida; são as moléculas de DNA, que contêm em seu interior as informações necessárias para construir e colocar as células em funcionamento.

As reações químicas da célula geram o metabolismo celular

O metabolismo celular depende diretamente da produção de energia produzida pela organela chamada mitocôndria. Ele é diretamente influenciado pela concentração de radicais livres que interferem nos processos bioquímicos celulares.

O oxigênio da respiração é 95% transformado em água e 5% em radical superóxido, que é reativo e lesivo. Os radicais livres armazenados nos peróxidos são liberados e digerem os pequenos microrganismos. Os radicais em contato com os fosfolipídios (ácidos graxos poliinsaturados das membranas celulares), com as lipoproteínas e o colesterol produzem várias alterações na estrutura e no metabolismo celular.

Os processos vitais sofrem com os radicais livres, principalmente as mitocôndrias, que são responsáveis pela usina de energia da célula, e são os maiores responsáveis pela degeneração celular e, por conseguinte, pelo envelhecimento do corpo.

O metabolismo celular é o responsável pelo envelhecimento do corpo

Existe uma grande probabilidade de que o tempo de vida celular seja proporcional à quantidade de radicais livres que as mitocôndrias sofreram durante toda a vida. A pior situação é quando os oxidantes danificam o DNA da mitocôndria que também produz outras proteínas responsáveis pela respiração celular. A peroxidação lipídica das membranas pode dificultar ou reduzir a produção de energia.

Quando os oxidantes atacam o LDL, ele se torna viscoso e adere às paredes das artérias, formando placas e obstruindo esses vasos.

Quando os radicais atacam o DNA, ele se liga a outra proteína e não pode mais se duplicar, causando distúrbios como o câncer. Nesses casos, o DNA sofre mutação e alteração do código genético.

CAPÍTULO 5
DIETA ORTOMOLECULAR

Ao elaborarmos *A DIETA ORTOMOLECULAR*, observamos todos os preceitos da Prática Ortomolecular e trabalhamos considerando o fato de que a obesidade é um processo inflamatório e, por conseguinte, libera oxidantes. A dieta ortomolecular foi criada a partir de experiência pessoal e fruto de observação do metabolismo celular. Pelo fato de a obesidade ser uma inflamação, devemos usar os antioxidantes para seu tratamento, pois toda inflamação libera radicais livres na circulação.

Quando se inicia o processo de ganho de peso, os adipócitos ou células de gordura, ficam abarrotados de triglicérides. Essa informação sobre a avidez desses adipócitos pela gordura fica na memória genética e permanece o número de adipócitos nos tecidos, podendo se proliferar caso o aumento de peso ocorra antes dos 12 anos, isto é, além dos adipócitos aumentarem de tamanho, eles aumentam em quantidade a partir de uma determinada idade.

O metabolismo celular geralmente é lento e a retenção hídrica é grande devido ao excesso de sódio ingerido pelos obesos. Por outro lado, os obesos também retêm mais sódio.

A mitocôndria produz pouca energia e esses pacientes geralmente ficam cansados e indispostos para as atividades diárias. Na realidade, o obeso é desnutrido e as trocas alimentares estão comprometidas. Os nutrientes não chegam à célula de forma eficiente, o mau carboidrato favorece sua pouca absorção pelas células e o organismo sofre com esse déficit de nutrientes, levando ao envelhecimento precoce. Na DIETA ORTOMOLECULAR o intestino é alvo de grande atenção, pois sabemos que as trocas estão diminuídas e a maioria desses pacientes apresenta obstipação intestinal.

Ora, se o bolo fecal fica retido por dias, às vezes semanas, prolifera-se uma nova flora bacteriana local, esta por sua vez patogênica, a qual compete com as bactérias benéficas de nosso intestino. Essa situação clínica que surge é chamada *disbiose*.

A disbiose é o desequilíbrio entre as floras intestinais, e seu surgimento provoca dispepsia, dores abdominais, dificuldade de digestão, flatulência e a má absorção dos alimentos como produto final. É preciso corrigir esse distúrbio para que recebamos corretamente todos os nutrientes de que necessitamos, e isso fazemos por intermédio da alimentação funcional.

As alterações hormonais são extremamente importantes, tais como a avaliação da tireóide, dos hormônios femininos e masculinos, da supra-renal e do pâncreas.

O mau funcionamento da tireóide pode levar a uma situação de hipotireoidismo com retardamento do trânsito intestinal, retenção de líquidos e baixo metabolismo celular. O conjunto de todos esses fatores ocasiona o ganho de peso. A situação mais freqüente ocorre quando há anticorpos circulantes contra a tireóide, evento que chamamos de tireoidite de Hashimoto.

O funcionamento deficiente dos ovários nas mulheres em fase sexualmente ativa ou no climatério pode levar à baixa de hormônios, como o estrogênio e a progesterona. Por outro lado, quando nos homens há queda dos níveis da testosterona, existe maior facilidade ao ganho de peso, uma vez que o hormônio masculino é anabolizante e induz ao maior gasto energético das células.

A DIETA ORTOMOLECULAR trata da obesidade com métodos naturais

Quanto à supra-renal, situações de estresse extremo, como as emocionais, geram uma sobrecarga sobre essa glândula, e são liberados na circulação sangüínea metabólitos ativos de adrenalina e noradrenalina, gerando situações de estresse oxidativo no sangue.

Uma das principais alterações é a resistência à insulina, que, em última instância, produz aumento de peso. O pâncreas do obeso produz o hormônio insulina que em déficit de funcionamento e não conduz a glicose integralmente para dentro da célula e, dessa maneira, forma-se a gliconeogênese, isto é, a formação de glicose a partir do fígado e o acúmulo de gordura neste órgão e na gordura periférica, os famosos "pneuzinhos".

O estado psíquico é sempre avaliado, pois os obesos apresentam alteração do humor com grande labilidade emocional, tendendo para a depressão, com baixa de serotonina, de lítio e compulsão alimentar como forma de compensação.

A avaliação do estresse oxidativo por intermédio da visualização dos radicais livres e sua interpretação nos ajuda a estagiar o grau de lesão celular

Na reeducação alimentar, as proibições não são grandes, tudo é quantificado. A DIETA ORTOMOLECULAR não gera situações de fome e é um programa para a vida toda. O emagrecimento deve ocorrer devagar, constante e permanentemente. Para isso, o foco deve ser:

- Motivação
- Comprometimento
- Disciplina
- Calma
- Persistência

Há um plano de ação com a avaliação nutricional, porém a dieta é a principal medida para o emagrecimento.

A DIETA ORTOMOLECULAR *baseia-se na redução de carboidratos e gorduras e no aumento da ingestão de proteínas.*

Utilizamos somente o bom carboidrato, como arroz integral, macarrão integral, cereais integrais (como a aveia natural) e os tubérculos – batata inglesa, mandioquinha, batata doce, cará, inhame e a mandioca –, são permitidos e utilizados na fase 1 da dieta com parcimônia, pois possuem alto índice glicêmico.

Índice glicêmico

Índice glicêmico é o teor de glicose no sangue gerado por alimentos como flocos de milho, pão, batata, aveia, banana, milho, arroz branco, espaguete, laranja, maçã e feijão.

O pão deve ser integral, sem gordura e sem adição de açúcar. Pode ser de farinha integral com linhaça ou com aveia. As gorduras utilizadas devem ser o óleo de canola, o azeite de oliva e o azeite extravirgem.

As frutas devem ser consumidas frescas e os legumes cozidos no vapor ou ensopados. As folhas verdes-escuras devem ser ingeridas pelo menos uma vez ao dia.

Os temperos devem ser variados e são permitidos: alho, cebola, salsinha, coentro, cebolinha, páprica, mostarda em pó, pimenta-do-reino em pó ou grão, pimenta síria, pimenta calabresa, pimenta rosa e pimenta dedo de moça.

O sal deve ser *light* e é restrito a aproximadamente um grama por dia. Os substitutos do sal, como o *green salt* e o tempero *quatre èpice*, são amplamente utilizados.

Os grãos são permitidos, podendo ser utilizados o feijão azuki (possui baixo teor de carboidratos), a lentilha e as ervilhas. O feijão manteiga é o que possui menor índice glicêmico.

As carnes permitidas são: bovina (magra), frutos do mar, peixes, atum em lata conservado em água, sardinha em lata conservada em tomate, frango (preferencialmente o peito) e outras carnes, como de coelho, avestruz, peru, chester e javali.

Os ovos são restritos a duas unidades inteiras por semana e as claras estão liberadas para o consumo.

A água é fundamental para o emagrecimento e são necessários oito copos por dia, que podem ser substituídos por limonada, chá, café, mate e água de coco (uma unidade por dia).

O leite deve ser o desnatado e, na primeira fase, só é permitido o leite de vaca.

Os queijos utilizados são: queijo-de-minas, ricota, chancliche, cottage *light*, frescal e queijo-de-minas cremoso.

Os iogurtes desnatados naturais, são permitidos.

Como sobremesa, são indicados a gelatina *diet* com ou sem frutinhas, os doces de abóbora, maçã, pêra e banana com adoçante em pó e bastante cravo e canela. A geléia *diet* e suas variações podem ser usadas como substitutas do queijo e também como sobremesa acompanhada dc cottage *light*.

Deve-se fazer seis refeições por dia: café, lanche, almoço, lanche, jantar e lanche. Os horários entre as refeições devem ser de, no máximo, três horas.

Alimentos proibidos

- ✗ Embutidos (salsicha, salame, mortadela, lingüiça, *blanket* de peru etc.)
- ✗ Enlatados
- ✗ Carne de porco (lembrar do presunto)
- ✗ Queijos amarelos – provolone, mussarela, queijo prato gorgonzola, *brie*, estepe, *emmental* etc.
- ✗ Bebidas alcoólicas
- ✗ Refrigerantes *diet*.
- ✗ Bolachas, bolos, doces, mel, açúcar e chocolate
- ✗ Achocolatados *diet*
- ✗ Pão francês e farinha branca
- ✗ Esfiha, pão de queijo, empadas, tortas salgadas, quiches, kibes e salgadinhos em geral
- ✗ *Fast food*
- ✗ Salgadinhos de pacote
- ✗ Margarina, manteiga, creme de leite, requeijão
- ✗ Sorvetes
- ✗ Massas folhadas e pastel de forno
- ✗ *Bacon* e milho

- ✗ Barra de cereal
- ✗ Flocos de milho, granola e sucrilhos
- ✗ *Shoyu*, *ketchup*, mostarda e molho inglês
- ✗ Sal em excesso
- ✗ Gordura em excesso
- ✗ Carnes gordurosas (cupim, picanha com gordura e pato)
- ✗ Suco de frutas
- ✗ Suco de frutas em garrafa
- ✗ Suco *light* artificial
- ✗ Comida chinesa e comida japonesa em rodízio
- ✗ Doces *diet* de caixinha
- ✗ Frituras

REGRAS BÁSICAS PARA O SUCESSO DA DIETA ORTOMOLECULAR

- ✓ Não beber líquido durante as refeições
- ✓ Não pular refeições
- ✓ Beber dois litros de líquido por dia
- ✓ Fazer refeições menores e em maior número (seis por dia)
- ✓ Na primeira fase, não realizar exercícios em excesso, só caminhadas
- ✓ Dormir de seis a oito horas por dia
- ✓ Focar na dieta e não na atividade física. É necessária uma interação corpo/alimentação/balança
- ✓ Pesar-se diariamente
- ✓ Usar a lei da compensação. Se sair da dieta um dia, tente segui-la nos outros
- ✓ Caso vá a alguma festa, alimente-se antes com uma sopinha
- ✓ No restaurante, evite o *couvert* e só peça cenoura, aipo e pepino crus
- ✓ Evitar ter em casa chocolates, bombons, balas, doces e biscoitos
- ✓ Caso transgrida a dieta algumas vezes, não desanime nem se culpe
- ✓ Lembre-se de que a reeducação alimentar se dá passo a passo
- ✓ Permita-se emagrecer com saúde, utilizando alimentos saudáveis
- ✓ Lembre-se de que, após atingir o peso ideal, você poderá comer alguns alimentos

mais calóricos esporadicamente, mas sempre com moderação

✓ Na fase de manutenção existe o risco do efeito sanfona! As células gordurosas ainda estão ávidas por carboidratos que vão formar os triglicérides, o conteúdo delas

A DIETA ORTOMOLECULAR **é constituída de três fases.**

PRIMEIRA FASE

Carboidratos: permitidos no almoço, porém, em pequena quantidade.
Proteínas: em pequena quantidade, no almoço e no jantar
Gorduras: em pequena quantidade.
Duração: 1 a 2 meses.

SEGUNDA FASE

Carboidratos: permitidos no almoço e diminuídos os derivados de leite (lactose).
Proteínas: no almoço e jantar em maior quantidade.
Gorduras: em pequena quantidade.
Duração: de 1 a 2 meses.

TERCEIRA FASE

Carboidratos: são retirados. Só se utilizam os caboidratos dos legumes e dos vegetais.
Proteínas: são aumentadas. Usadas no almoço e no jantar.
Gorduras: em pequena quantidade. Introdução das sementes e das frutas secas.
Duração: de 14 a 21 dias.

Capítulo 6
ALIMENTAÇÃO FUNCIONAL

Alimento funcional é aquele em que identificamos nutrientes biologicamente ativos sobre os processos bioquímicos de nosso metabolismo.

Quando utilizamos a alimentação como forma terapêutica, dizemos que estamos fazendo um tratamento por meio de alimentos funcionais. Dessa maneira, quando orientamos o paciente a comer uma maior quantidade de derivados lácteos e brócolis em caso de deficiência de ferro, a usar cenoura em caso de deficiência de betacaroteno, e a alimentar-se de folhas verde-escuro para repor o magnésio em deficiência, estamos utilizando a "alimentação funcional".

Na alimentação funcional usamos os alimentos como agentes terapêuticos para curar e prevenir doenças. Se o utilizarmos como verdadeiros remédios, os alimentos podem interferir até mesmo no processo natural de envelhecimento, se os utilizarmos como verdadeiros remédios.

O que diferencia um alimento comum de um alimento funcional são os componentes bioativos encontrados neles.

Esses alimentos podem agir como laxantes, antiulcerosos, estimulantes da imunidade, antitrombóticos, diuréticos, agentes antivirais, redutores de colesterol, agentes de fertilidade, descongestionantes, supressores da tosse, hormônios, anti-hipertensivos, dilatadores de vasos sangüíneos, analgésicos, anticoagulantes, preventivos do câncer, dilatadores de brônquios, agentes antidiarréicos, antidepressivos, antibióticos e agentes antináuseas.

Alimento funcional é aquele que funciona como remédio

Há também os alimentos funcionais chamados de pré-bióticos, que são definidos como componentes nutricionais de alimentos não-digeríveis (frutooligossacarídeos, oligofrutose e inulina), que agem beneficamente no hospedeiro, estimulando seletivamente a atividade de um número de bactérias no cólon (lactobacilos). As substâncias prebióticas estão presentes nas frutas e nas hortaliças: trigo, alho, alho-poró, cebola, banana e chicória. Quando ingerimos, por exemplo, a chicória, algumas substâncias não são hidrolisadas e chegam ao trato gastrointestinal, onde se fermentam e estimulam a produção de bactérias benéficas ao nosso organismo.

Dentre os benefícios dos pré-bióticos estão o controle do tempo do trânsito intestinal e a redução do risco de osteoporose. A inulina reduz os triglicérides, o colesterol total e o LDL. Podemos afirmar que os prebióticos previnem as dislipidemias.

Alimentos funcionais

Atum, salmão, enchova, cavalinha, arenque, ostra – ricos em ômega 3.

Nozes, castanha-de-caju, amendoim, castanha-do-pará, sementes de girassol, avelã, amêndoas, noz-pecã – ricos em vitamina E.

Goiaba, pimenta vermelha doce, pimentão, kiwi, brócolis, mamão, morango, melão, tomate, couve-flor – ricos em vitamina C.

Ostra, caranguejo, peru, fígado, semente de abóbora, fígado – ricos em zinco.

Batata, melão, abacate, beterraba, pêssego, acelga, cioba, ameixa seca, salmão, damasco, soja, suco de tomate, batata doce – ricos em potássio.

Pêssego, cenoura, batata-doce, couve, damasco, espinafre, abóbora, melão, beterraba – ricos em betacaroteno.

CAPÍTULO 7
ALIMENTOS *VERSUS* DOENÇAS

A dieta alimentar é a gênese de várias doenças associadas à susceptibilidade genética, à exposição ambiental de poluentes e agentes patogênicos e às alterações psíquicas. Às vezes falamos: "Somos o que comemos". Sem dúvida, a correção de nossa alimentação e uma maior atenção ao comprarmos e prepararmos os alimentos podem nos auxiliar a combater e a prevenir doenças.

O ritmo acelerado da revolução industrial nos impôs alimentos de alto teor calórico, ricos em gordura hidrogenada, conservantes e agrotóxicos nas prateleiras dos supermercados. A correria da vida moderna nos trouxe pouco tempo para pensarmos em nossa alimentação, transferindo nosso arbítrio para as indústrias alimentícias, na maioria das vezes desiformadas quanto aos componentes necessários à boa alimentação.

A educação alimentar é necessária e deveria ser matéria do currículo escolar. A preparação, a escolha e a combinação dos alimentos é a grande arma que temos para combater doenças.

Por outro lado, os alimentos podem beneficiar ou serem maléficos, dependendo da situação, como no caso das alergias alimentares.

É difícil encontrarmos algum problema de saúde ou um processo natural do corpo que não seja influenciado pelas substâncias ingeridas. Os alimentos são poderosos remédios que podem aumentar a energia vital do corpo, do cérebro e prevenir doenças.

Cerca de 25% das drogas são derivadas de plantas, isto é, da natureza, e cada vez mais necessitamos voltar aos primórdios da civilização utilizando remédios naturais e uma alimentação simples e saudável. A farmácia dos alimentos é tão eficaz quanto a farmácia dos remédios. Usar o poder farmacológico dos alimentos é uma das saídas inteligentes.

Os alimentos devem ser usados como remédios

ALIMENTOS QUE PODEM *EVITAR* COÁGULOS

Alho • cebola • pimenta • cogumelo preto • cravo • frutos do mar • chá • azeite de oliva • vinho tinto em pequenas quantidades

ALIMENTOS QUE PODEM *ABAIXAR* A PRESSÃO ARTERIAL

Alho • peixes gordos • frutas • vegetais • alimentos ricos em potássio • azeite de oliva • alimentos ricos em cálcio

ALIMENTOS QUE PODEM *CONTROLAR* O CÂNCER DE CÓLON

Farelo de trigo • couve-flor • couve-de-bruxelas • repolho • iogurte • leite • frutos do mar • brócolis

ALIMENTOS ANTICOLESTEROL

Feijão • aveia • maçã • cenoura • abacate • nozes • alho • cebola • frutos do mar • peixes gordos • grãos com alto teor de fibras solúveis

ALIMENTOS QUE PODEM *PREVENIR* DERRAMES

Frutas • vegetais • frutos do mar • peixes gordos • chá

ALIMENTOS QUE PODEM *PREVENIR* A CONSTIPAÇÃO

Fibra de trigo integral • fibra de arroz • tâmara • ameixa • figo • café • muito líquido

ALIMENTOS QUE PODEM *DESESTIMULAR* O CÂNCER

Farelo de trigo • feijão • soja • azeite de oliva • repolho • couve-de-bruxelas • peixes gordos

ALIMENTOS PROPENSOS A *PREVENIR* O CÂNCER DE PULMÃO

Folhas verde-escuro • espinafre • brócolis • couve • couve-de-bruxelas • abóbora • chá verde • cenoura • batata-doce • feijão

ALIMENTOS QUE PODEM *AUMENTAR* A SOBREVIDA

Brócolis e tomate

ALIMENTOS *ESTIMULANTES* CEREBRAIS

Café • proteína

ALIMENTOS *CALMANTES* CEREBRAIS

Açúcar • mel • carboidratos • massas • pão e álcool

ALIMENTOS PARA CÉREBROS ENVELHECIDOS

Nozes • fígado • soja • cenoura • farelo de trigo • leite • amêndoa • crustáceos

ALIMENTOS PARA O BOM HUMOR

Cafeína • alho • espinafre • frutos do mar • açúcar

ALIMENTOS PARA *CONTROLAR* O ESTRESSE E A ANSIEDADE

Açúcar • amidos

ALIMENTOS QUE PODEM *MELHORAR* DORES DE CABEÇA

Peixe e óleo de peixe • gengibre

ALIMENTOS QUE PODEM *ESTIMULAR* A IMUNIDADE

Cogumelo *shitake* • iogurte • alho • ostra • dieta vegetariana e dieta com baixo teor de gordura

ALIMENTOS QUE PODEM *ALIVIAR* A ARTRITE

Peixe gordo • gengibre • dieta vegetariana

ALIMENTOS PARA *PREVENIR* A OSTEOPOROSE

Nozes • frutas • pêssego • maçã • pêra • tâmara • uva-passa • amendoim • avelãs • mel • uva • soja • vegetais verde folhosos • atum • sardinha • salmão

ALIMENTAÇÃO PARA *AUXILIAR* NA FERTILIDADE

Fibra de trigo • brócolis • repolho • couve-de-bruxelas • couve-flor • melão • kiwi • morangos • pimenta vermelha • ostra

ALIMENTOS PARA *CONTROLAR* O DIABETES

Alho • cebola • cevada • brócolis • feijão

ALIMENTOS QUE *EVITAM* O CÂNCER DE MAMA

Feijão • soja • farelo de trigo • azeite de oliva

ALIMENTOS QUE *PODEM AJUDAR* A CURA DAS ÚLCERAS

Banana • banana da terra • chá claro

ALIMENTOS PARA DOENÇA DIVERTICULAR DO CÓLON

Farelo de trigo sarraceno

ALIMENTOS *CONTRA* OS GASES

Gengibre • alho • hortelã

ALIMENTOS QUE *EVITAM* PROBLEMAS CARDÍACOS

Frutos do mar • cebola • grãos • azeite de oliva • frutas • vegetais • alho

GORDURAS DESEJÁVEIS

Óleo de canola • óleo de linhaça • azeite de oliva

ALIMENTOS QUE PODEM *AUMENTAR* O HDL (bom colesterol)

Salmão • ostra • azeite de oliva • cebola crua • alho • amêndoas • abacate • vinho • cenoura • espinafre • brócolis • pimentão • laranja • feijão • aveia • maçã

ALIMENTOS GORDUROSOS QUE *PROTEGEM* O CORAÇÃO

Óleo de canola • amêndoa • azeite de oliva • avelã • abacate

ALIMENTOS QUE AGEM COMO ANTIINFLAMATÓRIOS

Gengibre • pimentas • maçã • óleo de peixe • abacaxi • cebola • alho • cavalinha • sardinha • salmão

ALIMENTOS ANTIVIRAIS

Maçã • pêssego • ameixa • morango • chá • gengibre • limão • cogumelos • alho • laranja • cebolinha • café • uva-passa-preta • brócolis • feijão • milho • nozes • melancia • aspargo • abacate • uva vermelha

ALIMENTOS DIURÉTICOS

Aipo • noz-moscada • limão • cebola • salsa • hortelã • chá • café • berinjela • cominho • alho

ALIMENTOS DESCONGESTIONANTES DA FACE

Pimenta • tomilho • alho • mostarda • cebola • *curry* • pimenta-do-reino

ALIMENTOS COM ATIVIDADE ESTROGÊNICA

Soja • semente de gergelim • maçã • repolho • cenoura • milho • batata • arroz • amendoim • cominho • abacaxi

ALIMENTOS COM AÇÃO ANALGÉSICA

Alho • cebola • pimenta picante • cravo • açúcar • gengibre • hortelã

ALIMENTOS SEMELHANTES À ASPIRINA

cereja • páprica • *curry* • ameixa seca • tâmara • maxixe

ALIMENTOS RICOS EM CAFEÍNA

Café • chá • refrigerantes • chocolate

ALIMENTOS COM ALTO TEOR DE POTÁSSIO

Batata • melão • abacate • beterraba • pêssego • soja • suco de tomate • iogurte • ameixa seca • melado • cioba • batata doce • damasco • acelga

ALIMENTOS COM ALTO TEOR DE SELÊNIO

Castanha-do-pará • trigo • sementes de girassol • ostra • atum

ALIMENTOS COM ALTO TEOR DE ZINCO

Ostra • caranguejo • carne • peru • fígado de boi

ALIMENTOS COM ALTO TEOR DE VITAMINA E

Nozes • amêndoa • avelã • castanha-do-pará • amendoim • sementes de girassol • germe de trigo • soja • óleo de germe de trigo

ALIMENTOS COM ALTO TEOR DE ÔMEGA 3

Cavalinha • arenque • salmão • anchova • ovas de peixe

ALIMENTOS RICOS EM VITAMINA C

Goiaba • pimenta • pimentão • mamão • morango • kiwi • couve-de-bruxelas • laranja • brócolis

ALIMENTOS RICOS EM VITAMINA D

Sardinha • arenque • salmão

ALIMENTOS RICOS EM ÁCIDO FÓLICO

Fígado de galinha • quiabo • suco de laranja • espinafre • feijão branco • soja • aspargos • grão-de-bico • abacate • mostarda • beterraba • brócolis

ALIMENTOS RICOS EM CÁLCIO

Ricota • leite • iogurte • salmão • figo seco • tofu • couve • quiabo • feijão • soja • grão-de-bico • feijão branco • brócolis

ALIMENTOS RICOS EM BETACAROTENO

Damasco • pêssego • cenoura • batata-doce • espinafre • couve • abóbora • moranga • melão • beterraba

Alimentos com efeitos adversos:

ALIMENTOS QUE PODEM *ESTIMULAR* A FORMAÇÃO DE COÁGULOS

Alimentos com alto teor de gordura • álcool em excesso

ALIMENTOS QUE PODEM *AUMENTAR* A PRESSÃO ARTERIAL

Alimentos ricos em sódio e álcool

ALIMENTOS QUE PODEM *PROMOVER* O CÂNCER DE CÓLON

Alimentos com alto teor de gordura • carne vermelha • álcool

ALIMENTOS QUE PODEM *AUMENTAR* O COLESTEROL

Alimentos com alto teor de gordura saturada

ALIMENTOS QUE PODEM *PROVOCAR* DERRAMES

Álcool em excesso • gordura animal saturada

ALIMENTOS QUE PODEM *PROPICIAR* A GASTRITE

Hortelã • alho • cebola • molho de tomate apimentado • café • tomate • álcool • suco de laranja.

ALIMENTOS QUE PODEM *PROVOCAR* CÁLCULOS RENAIS

Sódio • alimentos com alto teor de gordura • espinafre

ALIMENTOS QUE PODEM *FAVORECER* O CÂNCER

Carne • alimentos com alto teor de gordura saturada • álcool • óleo de milho • semente de girassol

ALIMENTOS QUE PODEM *PROVOCAR* ANSIEDADE

Álcool • cafeína

ALIMENTOS QUE PODEM *CAUSAR* DORES DE CABEÇA

Chocolate • vinho tinto • álcool • queijo curado • sorvete • nozes • aspartame

ALIMENTOS QUE PODEM *DIMINUIR* A IMUNIDADE

Óleo de soja • óleo de milho • óleo de girassol

ALIMENTOS QUE PODEM *PIORAR* O HERPES

Chocolate • nozes • gelatina

ALIMENTOS QUE PODEM *PROVOCAR* OU *PIORAR* A ARTRITE

Milho • trigo • leite • carne • óleo de milho • óleo de girassol

ALIMENTOS QUE *PODEM AGRAVAR* AS ÚLCERAS

Cerveja • café • cafeína • álcool • pimenta • condimentos

ALIMENTOS QUE *PODEM CAUSAR* DOENÇAS DO CORAÇÃO

Carne e laticínios com alto teor de gordura saturada • álcool em excesso

GORDURAS INDESEJÁVEIS

Alimentos ricos em ômega 6 (óleo de milho, óleo de açafrão e óleo de girassol)

ALIMENTOS *CAUSADORES* DE ALERGIAS

Derivados de milho e trigo • lacticínios • cafeína • fermento • frutas cítricas

CAPÍTULO 8
OBESIDADE

A obesidade é uma doença inflamatória que surge quando existe alto consumo de carboidratos refinados e está associada ao sedentarismo e ao estresse crônico. É o mal da sociedade moderna.

Há um aumento de cortisol e da insulina com um maior aporte de gordura visceral e também aumento de ácidos graxos livres no plasma. O fenômeno mais importante está na alteração do metabolismo com resistência à insulina. Logo surgem pernas e braços finos e acúmulo de gordura na parte central do corpo. Associam-se a alergias, como rinites e fadiga crônica.

Com o aumento do cortisol há o aumento de glicose no sangue. O resultado é alarmante: são 240 milhões de pessoas com diabetes. No Brasil, cerca de 1/3 da população é obesa.

É necessário modular fatores da obesidade, aumentar a atividade física e fazer orientação alimentar para não faltarem nutrientes, evitando assim as calorias "vazias" encontradas nos alimentos sem poder nutritivo. A qualidade da alimentação é importante, por isso não se deve associar gordura hidrogenada com carboidratos refinados.

A dieta para a obesidade necessita de aumento de proteínas, diminuição do volume e aumento do número e da freqüência das refeições. Pessoas que tiveram baixo peso na infância apresentam o gene econômico, que busca a taxa metabólica mais baixa. Isto é, têm metabolismo mais lento, logo, gastam menos calorias em seu metabolismo basal.

Com o estresse oxidativo, há glicação das proteínas, as chamadas AGES. Na obesidade há a glicação e a oxidação associadas à peroxidação lipídica, com mudança das propriedades do plasma, como a hemoglobina glicada. Surgem propriedades agregantes, aumentando o risco cardíaco. Com a restrição calórica, há a diminuição de estresse oxidativo e a diminuição da glicação.

No tratamento não podem faltar moduladores da ação da insulina. Quando a glicemia de jejum está alta, há a subida da insulina no sangue.

Os primeiros sintomas de obesidade surgem com sudorese noturna – fome voraz e hipoglicemia no cérebro devido ao uso de carboidratos refinados. A obesidade está associada a várias doenças, como hipertensão arterial, dislipidemias, ovário policístico, colelitíase, neoplasias, distúrbios respiratórios, osteoartrite, alterações hormonais, alterações músculo-esqueléticas e coronariopatias.

A outra medida é a circunferência abdominal que, se superior a 80 cm em mulheres e 94 em homens, representa padrão de obesidade abdominal. O padrão de obesidade abdominal medido pela circunferência abdominal é atualmete mais significativo que o IMC. Muitas das vezes temos o IMC dentro dos limites normais e a circunferência abdominal acima dos limites desejados.Este paciente é portanto um obeso,pois com a presença da gordura abdominal surgem os riscos de Infarto do Miocárdio, Hipertensão arterial, Diabetes, Câncer, Tromboses e aumento do índice de colesterol e do LDL. A outra medida é a circunferência abdominal que, se superior a 80 cm em mulheres e 94 em homens, representa padrão de obesidade.

A resistência à insulina ocorre por diminuição do número da afinidade e da anormalidade dos receptores de insulina. Cerca de 77% dos obesos são portadores de hipertensão arterial. A gordura visceral é fator de risco cardíaco e, quanto maior o nível de triglicérides e menor a taxa de HDL (bom colesterol), maior o risco.

Gordura abdominal é fator de risco cardíaco

Na obesidade geralmente encontramos colesterol normal, LDL normal ou alto e HDL baixo. O LDL aumentado eleva o risco de hiperinsulinemia. LDL normal ou alto e HDL baixo.

A síndrome plurimetabólica ocorre quando a insulina está aumentada com a alta da glicose, dos triglicérides e do ácido úrico.

Existem várias alterações metabólicas na obesidade, entre elas maior absorção de sódio e maior produção de ácido úrico, com maior síntese e diminuição de sua excreção. Cerca de 66% dos obesos têm apnéia do sono, que pode ser fatal.

A obesidade visceral é a mais grave, mais fácil de perder e é a primeira gordura a ser utilizada. O fígado pode estar comprometido, causando esteatose hepática – gordura no fígado. Na realidade, a obesidade é o resultado da ingestão de alimentos altamente calóricos associada a pouco gasto energético.

Há fatores que influenciam o acúmulo de gordura corporal, dentre eles o nível de estresse do organismo, quer medido pelo exame dos radicais livres, quer medido pela dosagem do cortisol plasmático.

O cortisol é o hormônio liberado pela glândula supra-renal e em situações de estresse libera adrenalina e noradrenalina, que por sua vez são catecolaminas indutoras da resistência à insulina. Logo, nos obesos encontramos a gordura distribuída de forma centrípeta, isto é, localização do tecido adiposo no abdômen com pernas e braços finos e com pouca gordura por ação desse hormônio na periferia.

A obesidade nada mais é do que uma maior proporção de massa gordurosa em relação à massa magra, e atualmente pode ser definida por dois índices:

I) IMC – índice de massa corpórea (peso/altura x altura)

IMC = abaixo de 18,5 – magro
IMC = entre 18,5 e 24,9 – normal
IMC = 25 – sobrepeso
IMC = entre 25,1 e 29 – pré-obeso
IMC = entre 30 e 34,99 – obeso classe I
IMC = entre 35 e 39 – obeso classe II
IMC = igual ou acima de 40 – obeso classe III

II) Circunferência abdominal

Homem – entre 94 e 102 cm
Mulher – entre 80 e 88 cm

A circunferência abdominal representa a obesidade visceral, que é atualmente a de maior risco por apresentar alta correlação entre a incidência de diabetes, doenças cardíacas, resistência à insulina e hipertensão arterial.

Um paciente que apresente um IMC normal, mas apresenta circunferência abdominal elevada, é também considerado obeso.

Na realidade, a obesidade vem acompanhada de uma síndrome chamada de Síndrome Plurimetabólica, na qual apresenta dislipidemia, diabetes tipo II, hiperuricemia e hipertensão arterial.

Surge uma nova síndrome relacionada à avaliação bioquímica desses pacientes – a chamada Síndrome X, que atinge pacientes com as seguintes características:

a) circunferência abdominal acima de 102 cm em homens e acima de 88 cm em mulheres.

b) triglicérides acima de 150 mg/dl.

c) HDL - abaixo de 40 mg/dl em homens e abaixo de 50 mg/dl em mulheres

d) Pressão arterial acima de 135/85 mm Hg.

e) glicemia de jejum acima de 110 mg/dl.

Preenchendo dois desses critérios, os pacientes já se enquadram na síndrome X. No Brasil temos 10% de obesos e 40% de pessoas com sobrepeso.

O problema da obesidade é tão grave quanto a fome

Durante centenas de anos, o homem foi nômade, se locomovia em excesso e sua alimentação era frugal. Passava fome, alimentava-se de caça, pesca, frutas e, posteriormente, de raízes.

Com a civilização surgiram as facilidades de locomoção, os aparelhos de controle remoto e cada vez mais instrumentos que poupam nossa energia. Ao mesmo tempo, surgiu a indústria alimentícia, com seus produtos "obesogênicos", ricos em gordura vegetal, em carboidratos; em suma, altamente calóricos.

A predisposição genética existe com genes que favorecem a obesidade, contudo encontra-se na minoria das pessoas.

Quando o problema ocorre entre familiares mais próximos, a possibilidade de herança genética é maior. Em geral, o obeso genético luta contra o peso desde a infância e a perda de peso é extremamente difícil, tendo uma predisposição a ganhar peso rapidamente.

Já o obeso de causa ambiental não apresenta nenhum caso ou raros casos na família, e só começou a engordar após algum fator desencadeante, como menopausa, gestação, puberdade, casamento, uso de algum medicamento, interrupção de tabagismo ou atividade física. Geralmente já conseguiu emagrecer, contudo, se descuida com facilidade e volta a engordar.

A obesidade deve ser encarada como doença, e não basta ter o IMC nos valores de obesidade. As pessoas que têm sobrepeso também iniciaram um processo patológico e devem merecer a mesma atenção que o obeso já constituído.

Pesquisas mostram que mais da metade dos obesos, quando iniciam tratamento de dieta alimentar associada a exercícios físicos, desiste no primeiro mês. Em função disso, a proposta deste livro é incentivar a dieta alimentar, pois metas extremamente difíceis são passíveis de insucesso.

Quando observamos um obeso, ele já nos chega com muitos vícios alimentares que necessitam ser eliminados e, na fase inicial, sugerimos que a atenção seja toda voltada para sua alimentação. Haverá muito tempo para a realização de atividade física durante o tratamento e, muitas vezes, a depressão que acompanha os obesos os impede de se exercitarem.

Por outro lado, com a diminuição da gordura corporal, o paciente já se sente mais animado e com mais disposição para movimentar-se.

A atividade que sugerimos é a caminhada, contudo nossa dieta ortomolecular não necessita de atividade física para queima calórica ou gasto energético. Utilizamos a própria gordura corporal como fonte calórica. Dessa forma, a atividade física não é enfatizada a princípio. Claro que se o paciente conseguir ou desejar se exercitar, esse hábito complementar será extremamente importante como coadjuvante do tratamento.

Contudo, gostamos da relação íntima do corpo com a dieta como forma única para a obtenção do peso ideal. Depois torna-se muito mais fácil a atividade física.

Há fatores que aumentam a gordura local, entre eles, a taxa metabólica diminuída. O gasto energético é proporcional ao metabolismo basal, ao metabolismo de repouso, à termogênese exercício induzida e à dieta induzida. A gordura gera termogênese local e o obeso tem oxidação de gorduras e coeficiente respiratório diminuídos.

Sabemos que quando o IMC está diminuído em excesso ou aumentado acima de 40, a mortalidade também aumenta. Nos casos de IMC acima de 30 sabe-se que 60% são diabéticos, 35% têm risco de câncer endotelial e que, quanto maior a gordura visceral, maior os níveis de triglicérides e menor os níveis de HDL.

O obeso é um desnutrido

Na obesidade, os parâmetros bioquímicos são: colesterol normal, LDL normal ou alto, HDL baixo e lipoproteína A alta.

O VLDL sobe devido à hiperinsulinemia. O aumento de LDL oxidado pode levar à lesão endotelial e os níveis de triglicérides se elevam com aumento de produção e diminuição de sua utilização.

A OBESIDADE É UMA DOENÇA CRÔNICA, PORTANTO, DEVE SER TRATADA E ACOMPANHADA POR TODA A VIDA.

Existem vários fatores desencadeadores da obesidade, entre eles:

1. hereditário;
2. ambientais e sociais;
3. abandono de atividade física;
4. maior poder aquisitivo (maior quantidade de alimentos e menor qualidade);
5. eventos sociais;
6. obesidade infantil (aumento do número de células gordurosas, que é um fator complicador).

Os riscos mais preocupantes são o do lactente que ganha muito peso e a obesidade infantil.

A dieta ainda é o principal tratamento contra a obesidade

Cerca de 50% dos brasileiros estão acima do peso ideal. O Brasil é o 6º país em obesidade no mundo.

Cerca de seis bilhões de pessoas em todo o mundo têm IMC acima de 30.

Na América do Norte, os Estados Unidos têm 30,9% de obesos e o Canadá 15%. Na Europa, a Croácia vem em primeiro lugar, com 23,1% e a Turquia com 22,35%. Na América Latina temos o México com 24,4% e o Uruguai com 18,1%. Na África, o Egito apresenta 24,4%. Na Ásia, o Kwait apresenta 28,8% e na Oceania encontramos Nauru, com 75%.

A obesidade já ganhou proporções de epidemia. A humanidade ganha mais e mais peso ao longo de sua caminhada. Hábitos como beliscar o tempo todo e consumir alimentos calóricos são a receita ideal para a obesidade, associados à genética e à ação hormonal. Há aproximadamente dois milhões de anos o homem começou a comer carne, que é fonte de proteínas e gordura. Acredita-se que antes disso era vegetariano, com dieta de baixo valor calórico, e magro.

Alguns genes são obesogênicos: ADRB3, que sintetiza mais gordura e queima menos calorias e PPRA, que é importante para a formação de gordura. Esses genes são encontrados nos obesos.

A tireóide pode ser a vilã da obesidade, mas somente 5% dos obesos têm essa doença. Haverá ganho de peso se a tireóide funcionar a menos.

A obesidade leva ao diabetes com uma alta produção de insulina, o que causa resistência a longo prazo. Nas articulações, o sobrepeso leva ao desgaste e à artrose. No sistema respiratório há dificuldade em respirar e a apnéia do sono é mais freqüente nessa população. No sistema circulatório surge a hipertensão arterial, as doenças coronarianas e as varizes. No sistema endócrino, as mulheres obesas liberam mais estrogênio, o qual leva à esterilidade e às alterações do ciclo menstrual. Além disso, o excesso de estrogênio pode ocasionar tumores de útero e de mama.

As emoções podem estar por trás do apetite desenfreado e da relação mente/comida. Quando se perde o controle, a ansiedade, a frustração e a tristeza podem estar por trás. Muitas pessoas utilizam a comida como forma de prazer imediato.

A gordura localizada na região gluteofemural é a mais difícil de ser eliminada. Já a gordura abdominal apresenta melhora com a prática de exercícios físicos.

Além dos alimentos funcionais, temos os alimentos termogênicos, que são as pimentas, a proteína, o ginseng, o chá verde, o café e o guaraná.

Sem dúvida, o obeso é desnutrido e a leptina produzida nos adipócitos sobe seus níveis em casos de obesidade. A leptina é um hormônio liberado para indicar saciedade, contudo, como o obeso perde o comando do eixo de saciedade, ela é produzida em altas quantidades, mas de má qualidade, e não funciona para alertar sobre esse fato.

A gordura marrom que é formada pela gordura branca e é encontrada na região das costas, rica em mitocôndrias e fonte de energia, é a gordura de boa qualidade, saudável.

Uma dieta sem fome com um programa para toda a vida. Este é o nosso lema.

Executamos um plano de ação com a avaliação do estado nutricional, utilizando os alimentos funcionais como base nas substâncias benéficas ao organismo e protegemos os órgãos vitais com o uso de antioxidantes.

A fome e a saciedade são dois fatores de regulação do peso. Temos o hormônio grelina, que estimula o apetite e dá saciedade. Nas refeições mais isoladas, a grelina está diminuída.

As células gordurosas podem aumentar em até seis vezes o seu tamanho normal e liberar na corrente sangüínea as seguintes substâncias hormonais e substâncias inflamatórias:

1. **RESISTINA –** quando secretada em grandes quantidades desencadeia resistência à insulina, levando ao diabetes tipo II.
2. **APIPONECTINA –** é uma proteína antiinflamatória que protege as artérias contra a gordura, contudo na obesidade sua produção é diminuída.
3. **LEPTINA –** é um hormônio secretado exclusivamente pelas células adiposas e dá a sensação de saciedade no cérebro. Na obesidade há muita leptina, porém ela não é funcional.
4. **INTERLEUCINA 6 E FATOR DE NECROSE TUMORAL –** são substâncias pró-inflamatórias que levam à obstrução das artérias, ocasionando lesão do endotélio e favorecendo as placas de colesterol e as doenças cardíacas e circulatórias.
5. **ÁCIDOS GRAXOS –** as células gordurosas armazenam em seu interior triglicérides e liberam na corrente sangüínea os ácidos graxos que geram energia e se armazenam no fígado, nos músculos e no coração.
6. **ANGIOTENSINOGÊNIO E PAI-1 –** o angiotensinogênio causa vasoconstricção e PAI-1, que é um anticoagulante natural e é diminuído, logo, há uma maior tendência à formação de coágulos e trombos.

O ideal é a perda de 3 a 4 kg por mês, pois, quando se ultrapassa essa taxa, a perda de massa magra (muscular) é muito grande. Quanto mais massa magra a pessoa perder, menor sua capacidade de manter o peso, pois o músculo é a unidade metabólica que mais gasta energia. Se uma pessoa perder 8 kg em um mês, ela perderá 60% de gordura e 40% de massa magra, passará a gastar menos energia e engordará de novo; é por este motivo que algumas pessoas não conseguem manter o peso, e iniciam o **efeito sanfona**.

O efeito sanfona é causado pela avidez das células gordurosas pelos carboidratos

A obesidade, assim como outras doenças crônicas, como o diabetes e a hipertensão arterial, deve ser tratada por toda a vida. O comprometimento com a dieta, a conscientização do equilíbrio do peso, a perseverança e a regulação da sua alimentação são fundamentais para alcançar o sucesso na manutenção do peso nos patamares ideais.

O tecido adiposo constitui-se de depósito energético do qual o organismo lança mão em períodos de reduzido suprimento calórico. A obesidade representa não apenas um problema de saúde pública, mas um problema científico e um estímulo para a indústria de fármacos, estimulando a prática regular de exercícios e a orientação alimentar.

Trata-se de um dos distúrbios metabólicos mais antigos do mundo, sendo relatado em múmias egípcias e em esculturas gregas. Pode comprometer a formação de esperma no homem e redução de taxa de gravidez na mulher. A explicação reside no desequilíbrio hormonal causado pelo acúmulo de tecido adiposo no organismo.

A aromatase é uma das substâncias responsáveis pelo funcionamento das gônadas e é produzida pelas células de gordura. Quanto mais obesa é uma pessoa, mais aromatase ela produz, logo, em excesso, ela altera o equilíbrio hormonal, que altera a produção de espermatozóides e óvulos. Em pacientes do sexo masculino com IMC acima de 25 há a redução de 24% de sêmen e em mulheres há a redução de 30% na taxa de gravidez.

Capítulo 9
OBESIDADE *VERSUS* CORTISOL

O adipócito, ou célula gordurosa, é formado fundamentalmente por 80% de triglicéride, ácido oléico e glicerol. Ele realiza a lipólise (queima de gordura) e a lipogênese (formação de gordura).

Os receptores alfa dos adipócitos são antilipolíticos e os receptores beta são lipolíticos.

O cortisol é o hormônio produzido pela glândula suprarrenal que produz catecolaminas, que são a adrenalina e a noradrenalina. Quando há estresse oxidativo, existe uma grande quantidade de liberação de cortisol, que atua nos receptores de insulina, causando sua resistência, isto é, abre-se uma pequena entrada para a glicose entrar na célula.

O aumento da glândula supra-renal leva a alergias, rinites e fadiga crônica.

A obesidade com altos níveis de cortisol gera resistência à insulina, por isso encontramos pacientes com grandes barrigas e pernas e braços finos.

É necessário manter o nível de cortisol equilibrado, pois quando ele atinge níveis elevados acelera o envelhecimento. Com o hipercorticismo há um grande aumento de cortisol e uma baixa de catecolaminas, que são lipolíticas, gerando resistência à insulina, aumento de apetite, de glicogenólise e de gliconeogênese. Há a diminuição de serotonina no cérebro e um estímulo ao catabolismo protéico, ou, sarcopenia (perda de massa muscular).

É necessário regular o cortisol da manhã e da tarde, sendo que este último deverá ter uma redução de 50% em relação ao período da manhã.

Existe uma atividade parassimpática aumentada na obesidade e há a diminuição da termogênese, um efeito lipogênico.

O centro do apetite e o centro da saciedade controlam a fome. As gorduras, a proteína e os carboidratos têm graus diferentes de saciedade, sendo a saciedade do carboidrato a menos duradoura, seguida da gordura e da proteína.

Existem fitoterápicos, como o licorice, capazes de regular o eixo, diminuindo o cortisol e aumentando a liberação de epinefrina. O cetoconazol também abaixa os níveis de cortisol, e é o responsável por manter o eixo equilibrado.

Cortisol elevado causa envelhecimento

A produção do DHEA é neutralizada em processo complexo pelo hormônio cortisol, também chamado de hormônio do estresse, sendo o hormônio mais abundante após o DHEA.

Em situações de estresse há uma grande liberação de cortisol, que inibe o DHEA. Quando envelhecemos, os níveis de DHEA diminuem associados ao estresse concomitante. O complexo DHEA – cortisol é relacionado com a insulina – glucagon. Quanto mais sobe o nível de cortisol, mais aumenta o nível de insulina.

O estresse promove resistência à insulina

A síntese protéica estimula a diminuição de cortisol; portanto, melhora tanto a resistência à insulina quanto a redistribuição da gordura corporal. A melhora do nível de serotonina por meio de atividades físicas, massagens e drenagem linfática ajudam também a manter o nível de cortisol mais baixo.

O aumento de cortisol dá origem a um novo biotipo: braços e pernas finas, abdome volumoso, face de lua cheia e gordura atrás da nuca. Muitas vezes os obesos são pletóricos, com pele fina sujeita a equimoses (manchas roxas).

Capítulo 10

OBESIDADE E ATIVIDADE FÍSICA

O principal papel da atividade física na perda de massa gordurosa é elevar a temperatura corporal e, por conseguinte, aumentar o metabolismo celular. Sem dúvida, a atividade física é importante para a queima calórica, mas é importante salientar que ela não realiza milagres se não for acompanhada de restrição alimentar.

Durante a realização da dieta ortomolecular, sugerimos que seja mantida uma atividade discreta, isto é, caminhadas duas a três vezes por semana até atingir o peso ideal. Uma atividade física intensa geraria uma demanda muito maior de nutrientes e comprometeria o sucesso da dieta.

Atividades como musculação intensa, corrida, natação, *body pump*, boxe, atletismo e ciclismo devem ser indicadas para uma segunda etapa, a menos que já façam parte do seu dia-a-dia, mas mesmo assim sua freqüência deve ser diminuída.

A atividade física só emagrece se for associada à dieta

A atividade física na obesidade ajuda a mobilizar as gorduras periféricas e melhora a oxigenação cerebral nos tecidos, contribuindo para a diminuição de radicais livres.

A liberação de serotonina é maior juntamente com as endorfinas e o bem-estar; a diminuição da depressão se faz de forma harmoniosa.

Caso a atividade física seja realizada com baixa ingestão de carboidrato e baixos índices de caloria, o consumo de energia e de gordura corporal é maior. A melhor hora para a queima calórica é pela manhã; à noite é o melhor horário para a sensação de bem-estar corporal.

Com a aceleração do metabolismo basal celular mediante a atividade física, podemos trabalhar com uma queima calórica acentuada e, assim, estimular o emagrecimento. A maioria dos obesos é sedentária por opção, por dificuldade de locomoção, por depressão e muitas vezes por vergonha de se expor em público. Portanto, para essas pessoas, recomendamos a caminhada de 45 minutos lenta duas a três vezes por semana ou a esteira pela manhã. A bicicleta estacionária lenta também pode ser outra opção.

Lembre-se de que a atividade física é um complemento no emagrecimento e deve ser estimulada, mas fica em segundo plano, dando-se maior atenção à alimentação, seus horários, seus intervalos e suas variedades, que devem ocupar a maior parte de seu tempo e de sua atenção.

Seu foco deve ser a dieta e sua relação com o corpo é a balança

A vigilância deve ser diária, sem obsessão, mas equilibrada. A observação de seu relógio biológico, seus sintomas e o funcionamento dos sistemas do corpo devem ter prioridade na avaliação diária.

É uma relação silenciosa entre você e você mesmo. Exercitar a prática de se observar, que foi esquecida e transformada em uma bola de neve sem fim, é de extrema importância.

A atividade física libera o hormônio do crescimento e estimula a formação da gordura marrom, a boa gordura, que está localizada nas axilas, na supra-renal e na nuca. Essa gordura é termogênica e diminui o peso, pois estimula a perda calórica.

A atividade física diminui o apetite, e sabemos que exercícios leves não acarretam mudanças no hábito alimentar, mas liberam mais serotonina no sangue.

A intensidade do exercício necessária é:

FC MAX = 220 – idade

EX – Pessoa de 50 anos – 220 – 50 = 170 bpm

FC para treino de resistência – 170 x 70% = 119 bpm

Os exercícios anaeróbicos são aqueles de curta duração e alta intensidade. Emagrecem mais.

Os exercícios aeróbicos são de baixa intensidade e longa duração, como corrida, caminhada, ginástica, hidroginástica e dança. São os ideais e podem ser associados aos anaeróbicos.

O importante é que a atividade física seja combinada com a dieta. Além disso, os efeitos da atividade física são cumulativos. Deve-se evitar exercícios que prejudiquem a microcirculação, como o *step*, e após atingir o peso ideal, é preciso associar exercícios aeróbicos com anaeróbicos. Sem dúvida alguma é importante sua regularidade, pois uma simples caminhada pode mobilizar as gorduras e fazer os ácidos graxos livres penetrarem na mitocôndria e gerar energia.

Capítulo 11
RESISTÊNCIA À INSULINA

A insulina é o hormônio liberado pelo pâncreas que favorece a entrada de glicose na célula. Quando ausente ou em níveis baixos, gera o diabetes. Contudo, existe um estado patológico que surge na obesidade, que é a resistência à insulina.

Isto se deve ao excesso de carboidratos de má qualidade oferecidos ao organismo. Logo, ocorre um mecanismo de compensação e produção exagerada de insulina para corrigir este grande volume de glicose entrando no sangue. A insulina produzida em excesso não é de boa qualidade e não permite uma boa utilização da glicose, que não entrará na célula e gerará o diabetes.

Essa glicose é reaproveitada no fígado, ocasionando a glicogenogênese, e depois a gliconeogênese, isto é, a formação de nova glicose que será transformada em gordura periférica – a gordura localizada.

Ela instala-se preferencialmente no abdome, glúteos, culotes, braços, tórax e face, nesta ordem.

A insulina é um hormônio anabólico e favorece a abertura dos canais da membrana celular à entrada de glicose. Além disso, aumenta o transporte para a célula de aminoácidos e a formação de proteínas.

Quando ingerimos excesso de carboidratos simples, o mau carboidrato, há um grande aporte de glicose para a célula, causando aumento de insulina e aumento da resistência a ela.

Maus carboidratos são a farinha branca, o arroz branco e as preparações feitas com eles

Sempre que há a necessidade constante de produção de insulina, há também a sua resistência. Surgem então a hiperglicemia sangüínea e a hipoglicemia celular, acidose celular e a fome. Em seguida, reinicia-se o aumento de ingestão de carboidratos e o ciclo recomeça.

Na resistência à insulina os membros são estreitos e há gordura central, isto é, depositada no abdômen.

O pré-diabetes apresenta fome voraz, sudorese noturna e repete o erro alimentar ingerindo carboidratos refinados: açúcar, pães, bolos, bolachas, doces e bebida alcoólica, reconhecidos causadores da resistência à insulina. Há hipoglicemia no cérebro, o que faz surgir a sensação de fome. A estabilidade da glicose no cérebro é fundamental para a manutenção da fome inalterada.

O aumento do cortisol, como apresentamos no Capítulo 9, gera também a resistência à insulina, provocando o aumento do apetite, de gordura visceral e dos ácidos graxos livres no plasma.

Quando a insulina atinge níveis elevados, pode haver doenças cardiovasculares.

É necessário modular os seguintes fatores:

1. aumentar a atividade física;
2. diminuir a proliferação de adipócitos;
3. orientação alimentar;
4. não podem faltar nutrientes, evitar calorias vazias;
5. ver a qualidade da nutrição;
6. evitar misturar gorduras com carboidratos e álcool;

Algumas regras são importantes:

1. aumentar a ingestão de proteína;
2. diminuir o volume dos alimentos nas refeições;
3. aumentar o número das refeições;
4. aumentar a freqüência das refeições;

5. diminuir o estresse oxidativo;
6. evitar gordura hidrogenada e carboidratos refinados;
7. utilizar legumes, folhas e carnes magras;
8. ovos (com restrição); peixes e frutos do mar são excelentes;
9. evitar açúcar e álcool;
10. utilizar grãos e cereais integrais.

O obeso tem uma doença inflamatória

Na obesidade, todas as células gordurosas estão inflamadas e todos os fatores inflamatórios estão liberados no sangue. A inflamação gera estresse oxidativo, logo, o aumento de radicais livres, mudando as propriededes do receptor de insulina, gerando resistência insulínica e formação de AGES – mudança na estrutura das proteínas e na hemoglobina, gerando o envelhecimento.

As células do obeso envelhecem mais rápido, pois sua estrutura protéica é alterada. Ele tem doença inflamatória e alteração do metabolismo.

O excesso de insulina e cortisol são causas do envelhecimento

Nas mulheres, a alta de insulina gera o aumento dos hormônios masculinos, os androgênios, podendo causar o câncer de colo uterino. No homem, surge a elevação de estrona e a diminuição de testosterona, levando a uma maior incidência de câncer de próstata.

Com o surgimento da obesidade surge a hipertensão arterial, que tem relação com a gordura visceral. Quanto mais gordura visceral, maior o triglicérides, que é fator de risco cardíaco.

O VLDL alto define o risco de aterogênese.

O LDL alto oxidado provoca lesão endotelial de vasos.

O triglicérides alto ocorre pela diminuição de sua utilização periférica.

A obesidade visceral é a mais perigosa e a mais fácil de se perder. Pode ser medida pelo índice de gordura no fígado.

Na obesidade, o fator mais importante é a ingestão aumentada e o pouco gasto calórico. O obeso gasta menos calorias do que ingere. São vários os fatores, dentre eles o hereditário, principalmente se a mãe for obesa.

Capítulo 12

REPOSIÇÃO HORMONAL

A reposição hormonal sintética na mulher pode gerar aumento de peso, pois a maioria das substâncias usadas são retentoras de sódio. Hoje em dia, cada vez menos usa-se a reposição por meio de produtos sintéticos, primeiro pelo risco de câncer de útero e recentemente pelo risco de câncer de mama.

Somos apologistas há vários anos da reposição hormonal natural. Há praticamente muitos anos a temos realizado com bons resultados para todos os sintomas relacionados ao climatério.

A reposição hormonal natural é benéfica, não produz efeitos colaterais e soluciona os problemas da deficiência hormonal.

A fitoterapia é excelente, com suas indicações precisas para cada caso, e gera a longo prazo o mesmo efeito que a reposição sintética, sem os efeitos colaterais indesejáveis.

O "eternamente feminina" também pode ser obtido através dela e, sem sombra de dúvida, é a nossa maior arma para abrandar os sintomas e os sinais nesse período.

O DIU, que libera hormônio de forma gradual, também é um fator dificultador do emagrecimeto em algumas mulheres, pois provoca a retenção hídrica.

O controle da TPM por meio da prática ortomolecular ajuda a diminuir a sensação de fome, dimunui a compulsão por doces e chocolates e estabiliza o humor e a ansiedade

Não é nosso objetivo discutir a reposição hormonal, contudo é importante esclarecer que a sua forma sintética compromete os resultados da dieta e, nos casos nos quais os sintomas são muito exuberantes, iniciamos a reposição hormonal natural.

Nos homens a situação é diferente, pois o hormônio masculino é anabolizante. Porém, há os riscos de câncer de próstata, e deve ser recomendada somente em casos isolados muito bem estudados.

Sabemos que há a reposição hormonal sintética produzida em laboratórios farmacêuticos, geralmente oriunda da urina de éguas grávidas.

Os efeitos cancerígenos desta reposição sempre foram conhecidos atingindo o útero, razão pela qual se realiza a reposição sintética. Ela é acompanhada de exames de ultrassonografia intrauterina, que devem ser feitos de seis em seis meses.

Recentemente, em 2002, surgiram casos de câncer de mama após anos seguidos desta reposição. Razão pela qual se começou a repensar este tipo de tratamento, ocasionando o surgimento de novos medicamentos com baixas doses de progesterona e estrogênio, a fim de minimizar estes efeitos colaterais.

Em contrapartida, surge também, como uma nova opção de tratamento, a reposição hormonal bioidêntica, que nada mais é do que a utilização de fitoterápicos modificados em laboratório, para que se assemelhem aos hormônios de nosso corpo.

Contudo, esta reposição também pode ter efeitos adversos, como o aparecimento de cânceres, fazendo-se necessário o acompanhamento do aparelho ginecológico semestralmente.

A única reposição isenta de efeitos sobre as mutações (cânceres) é a natural, feita a partir da soja e de plantas medicinais que contenham hormônios “símiles”, isto é, substâncias semelhantes aos hormônios da mulher que, ao circularem pela corrente sanguínea, se encaixam nos “sítios” de entrada destes hormônios, mimetizando a mesma ação deles.

Vale ressaltar que a soja é um alimento funcional, apresentando na sua composição a genisteína e a daidzeína, que são as principais isoflavonas capazes de reduzir cânceres, como os de mama, cólon, reto, estômago e próstata.

Capítulo 13
DIETA FASE UM

A DIETA ORTOMOLECULAR na primeira fase consiste na diminuição de carboidratos e gorduras e aumento de proteínas. Basicamente, retiramos todos os carboidratos simples e as gorduras hidrogenadas.

Consiste em seis refeições diárias: café, lanche, almoço, lanche, jantar e ceia. Os intervalos devem ser em torno de três a quatro horas entre as refeições.

A ingestão de água é aconselhada, sendo sempre antes, pouco durante e nada depois das refeições. Durante as refeições aconselha-se ingerir água, mate, chás, café e limonada à vontade, sempre com adoçante. O uso da água de coco deve ser restringido a uma unidade por dia.

É necessário ingerir, no mínimo, dois tipos de legumes por dia, de preferência diferentes, no almoço e no jantar. As folhas verdes-escuro são obrigatórias uma vez ao dia. Os laticíneos são limitados a duas vezes ao dia. As carnes devem ser magras: de vaca, frutos do mar, atum em lata conservado em água, sardinha em lata conservada em molho de tomate, peito de frango e peito de peru *light*.

Nesta fase só há a ingestão de leite de vaca desnatado e iogurte desnatado natural. Os queijos indicados são a ricota, o cottage *light*, o frescal, o queijo-de-minas. A geléia *diet* e a gelatina *diet* são permitidas.

Os temperos podem ser amplamente usados: alho, cebola, salsinha, cebolinha, coentro, páprica picante, mostarda em pó, gengibre em pó, sálvia, alecrim e hortelã. Todas as pimentas podem e devem ser usadas: pimenta-do-reino, pimenta-rosa, pimenta síria, pimenta calabresa.

Os pães devem ser de farinha integral, sem gordura e sem açúcar. As frutas são limitadas a duas unidades por dia, que são:

1 unidade de fruta: 1 maçã, 1 banana, 1 laranja, 1 goiaba, 1 pêra, 1 figo, 1 caqui, 1 kiwi, 1 ameixa, 1 tangerina, 1 pêssego, 1 carambola, 1 nectarina

- ½ papaia, ½ manga, 1 fatia média de mamão formosa
- 1 rodela de abacaxi, 1 fatia de melancia, 1 fatia de melão
- ¼ de abacate
- 5 lichias
- 5 morangos
- 1 cacho de uva pequeno
- 10 cerejas

O arroz e o macarrão devem ser integrais e os grãos que podem ser utilizados são: feijão azuki, grão de bico, lentilha, ervilha em grão e feijão-manteiga.

O cereal mais indicado é a aveia natural e integral.

O sal deve ser *light* e as gorduras utilizadas são o óleo de canola, óleo de linhaça, óleo de côco, e azeite comum e extravirgem.

Alimentos proibidos nesta fase:

- embutidos;
- bebidas alcoólicas;
- *shoyu*, *ketchup*, mostarda, molho inglês;
- comida japonesa e chinesa;
- sal em excesso;
- açúcar, mel, chocolate, doces, bolachas, bolos;
- pastéis, massas folhadas, tortas salgadas, empadinhas, esfiha, pão de queijo, quiches, salgadinhos de pacotes em geral, frituras;
- carne de porco, presunto;
- queijos amarelos, mussarela, queijo prato, *brie*, gorgonzola, estepe, emmental;
- pizzas;
- pão francês, farinha branca;
- pão doce, *struddel*, brioches, *croissants*;
- carnes gordurosas, como cupim e picanha com gordura;
- óleo em excesso;
- azeitona;
- requeijão, creme de leite, manteiga e margarina.

Capítulo 14

DIETA FASE DOIS

Nesta fase além da diminuição dos carboidratos, gorduras e aumento das proteínas são diminuídos os laticíneos para uma unidade por dia.

As sobremesas são liberadas nos fins de semana e são utilizadas de preferência nos intervalos das refeições, caso haja fome. São utilizadas dietas líquidas em um dia na semana e dieta com jejum de 12 horas à noite. Exemplo: jantar às 20 horas e café às 8 horas do dia seguinte.

Capítulo 15

DIETA FASE TRÊS

Nesta fase há restrição de carboidrato, inclusive os complexos, além de restrição aos derivados do leite. Proteínas, legumes e folhas são liberadas.

A duração desta fase é de aproximadamente 7 a 14 dias.

É a fase de resolução das gorduras localizadas. Há um incremento na evolução da DIETA ORTOMOLECULAR na retirada de carboidratos complexos isolados. Utiliza-se os carboidratos dos legumes e frutas como aporte calórico.

Nesta fase a dieta poderá ter intervalos de menos de três horas. O consumo de proteínas aumenta e mantém-se a ingestão de gorduras. As vitaminas e sais minerais são supridos pelos vegetais, folhas verdes-escuro e frutas. Legumes, ovos, peixes, frutos do mar, carnes vermelhas magras e carnes brancas estão permitidas, mariscos e ostras também são bem-vindos.

Capítulo 16

MANUTENÇÃO

A DIETA ORTOMOLECULAR deve ser mantida por dois anos, no mínimo, pois, a partir da estabilização do peso, é necessário acompanhar por este período para manter o metabolismo em níveis aceitáveis com grande queima de gordura corpórea.

Começa, então, a fase de maior perigo, pois são liberados, nos finais de semana e em eventos sociais, bebida alcoólica, alguns doces e algumas preparações com maior índice calórico. Durante a semana a dieta deve ser mantida.

A partir da manutenção já há uma desintoxicação devido ao uso do mau carboidrato e da necessidade de ingestão de gorduras. Não há o desejo de ingestão de doces, chocolates, bolos e bolachas, mas sim uma ingestão equilibrada desses alimentos em ocasiões excepcionais. Já há o aprendizado da relação de compensação desses alimentos. Na realidade, em uma determinada fase do metabolismo, quando já chegamos ao peso ideal, podemos ingerir por um ou dois dias alguns alimentos de maior teor de gordura, com maior índice glicêmico, pois não haverá grande ganho de peso; no entanto, se o prazo se estender por três dias ou mais, haverá aumento de massa gordurosa.

Sabemos que existe uma proteína chamada fator de proteção metabólico, que serve para evitar que o paciente passe fome. Ela é utilizada por aproximadamente 15 dias e protege o indivíduo de emagrecer. Após esse período, ela deixa de funcionar e há o emagrecimento em degraus. A ingestão aumentada discreta de calorias por um ou dois dias "confunde" o metabolismo, o qual não reconhece como ganho calórico. Se isto se perpetuar, aí sim haverá ganho de peso corporal.

A mobilização de gorduras nesta fase é mais fácil, pois o percentual de massa gordurosa é menor e os mecanismos de ganho e perda de calorias, mais flexíveis.

Já existe uma compreensão maior sobre os alimentos e suas variantes nutricionais. A vigilância é maior e o mecanismo de compensação é utilizado de forma mais assídua. Isto é, caso haja abuso alimentar nos finais de semana, há que se fazer uma compensação alimentar no decorrer da semana

Capítulo 17

DIETA FASE UM – CARDÁPIOS

PRIMEIRO DIA

CAFÉ	Café puro – 1 xícara grande com adoçante
	1 fatia de pão integral com queijo cottage *light*
LANCHE	1 iogurte desnatado natural (120 g)
ALMOÇO	Salada de alface, tomate e azeitonas
	2 colheres de sopa de arroz
	2 colheres de picadinho de carne
	2 colheres de sopa de abobrinha
LANCHE	1 pêra
JANTAR	Salada de rúcula, aspargos e *shitake*
	1 posta de cação de 200 grs
	Purê de espinafre (2 colheres de sopa)
CEIA	Maçã cozida com canela

SEGUNDO DIA

CAFÉ	Vitamina com leite desnatado (100 ml) e ½ banana
LANCHE	Café e ½ torrada com geléia *diet* de damasco
ALMOÇO	Salada de palmito, tomate cereja, pepino e alface americana
	100 grs de frango desossado com *curry*
	2 colheres de sopa de brócolis no vapor

LANCHE	1 polenguinho *light*
JANTAR	Omelete com três claras e uma gema recheada com peito de peru
	Brócolis no azeite
CEIA	Gelatina *diet* com fruta

TERCEIRO DIA

CAFÉ	Café com leite (1 xícara grande)
	1 pãozinho de linhaça de 30 g com queijo minas
LANCHE	3 Tirinhas de cenoura crua
	3 Tirinhas de aipo cru
ALMOÇO	Salada de agrião e palmito
	1 colher de sopa arroz
	1 colher de sopa de feijão
	Iscas de fígado com pimentão e tomate (100 g)
	Couve-de-bruxelas (2 colheres de sopa)
LANCHE	1 tangerina
JANTAR	Salada de escarola, nabo ralado e cenoura ralada
	Bife acebolado (150 g)
CEIA	1 copo de leite desnatado

QUARTO DIA

CAFÉ	½ papaia com aveia (1 colher de sobremesa rasa)
LANCHE	1 fatia de pão *diet* com queijo chancliche
ALMOÇO	Salada de rabanete, hortelã e minicenouras
	2 colheres de sopa de arroz integral
	3 colheres de sopa de suflê de legumes
LANCHE	1 fatia de melancia
JANTAR	Salada de salpicão com pimentão, aipo, queijo branco em tirinhas, iogurte *diet* e mostarda *light*
	Salmão com azeite e alcaparras (150 g)

CEIA ½ taça de doce de abóbora *diet*

QUINTO DIA

CAFÉ 1 ovo cozido no pão integral (1 fatia)
Chá de hortelã
LANCHE 1 banana
ALMOÇO Salada de rúcula e aspargos frescos
macarrão integral no azeite, queijo branco (2 pegadas)
1 filé de frango (200 grs)
LANCHE 2 figos
JANTAR Salada de *champignon* e folhas verdes
Risoto de frango (2 colheres de sopa)
CEIA 1 colher de geléia *diet* de morango e 1 colher de sobremesa de sopa rasa de cottage *light*

SEXTO DIA

CAFÉ 2 biscoitos integrais com fibras
¼ de abacate com 50 ml de leite desnatado
LANCHE 1 xícara de café grande
ALMOÇO Salada de aspargos, alface e tomate
Risoto de frango com ervilhas (2 colheres e 100 g de frango com molho de tomate)
Panache de legumes (3 colheres de sopa)
LANCHE 1 fatia média de queijo minas
JANTAR Salada de vagem com alho torrado
Steak au poivre (200 grs)
Brócolis no vapor (2 colheres de sopa)
CEIA Refresco de melão (1 fatia de melão com erva-doce)

SÉTIMO DIA

CAFÉ	Suco com 1 laranja e 1 copo de água de coco
LANCHE	Café com ½ fatia de pão integral com ricota temperada com salsinha e pepino
ALMOÇO	Salada de beterraba e rabanete Macarrão penne com molho de leite e abobrinha (2 pegadas) Lagarto assado recheado com cenoura (100 g)
LANCHE	1 fatia de abacaxi
JANTAR	Salada de alface americana e tomate caqui Lulas guisadas com molho de tomate e manjericão (150 g) Catalônia refogada (3 colheres de sopa)
CEIA	Suco de limão com erva-doce e hortelã

OITAVO DIA

CAFÉ	1 copo de iogurte natural com ½ pêssego
LANCHE	1 fatia de queijo-de-minas pincelada com geléia *diet*
ALMOÇO	Salada de alface, pepino em conserva, manjericão e couve-flor Espaguete com frutos do mar (2 pegadas)
LANCHE	1 tangerina
JANTAR	Salada de atum em lata com rúcula e agrião ½ berinjela recheada com carne moída (gratinada)
CEIA	Chá verde com limão siciliano

NONO DIA

CAFÉ	1 banana amassada com 1 colher de sobremesa rasa de aveia
LANCHE	Leite desnatado com canela (1 copo)
ALMOÇO	Salada de grão-de-bico com repolho roxo e couve-flor Purê de batata (sem manteiga) - (2 colheres de sopa) Peito de peru com molho de gengibre (100 g)
LANCHE	1 copo de coalhada seca feita com leite desnatado

JANTAR Salada com salsão, tomate e tofu
Picadinho de frango com berinjela e passas (150 g)
CEIA 1 pêra cozida com canela

DÉCIMO DIA

CAFÉ 1 xícara grande de café
½ manga
LANCHE 1 fatia de pão com queijo branco, orégano, tomate e azeite
ALMOÇO Salada de pimentão vermelho, amarelo, verde, cenoura e passas
Arroz com fungui (2 colheres de sopa)
Bifinhos de filé *mignon* (200 g)
LANCHE 1 goiaba
JANTAR Salada com tofu, *moyachi* e algas
Omelete de escarola
CEIA Refresco de melão com limão

DÉCIMO PRIMEIRO DIA

CAFÉ Chá de erva-doce
Pão de aveia (30 g, com patê de ricota, cenoura e aipo)
LANCHE 1 cacho de uva pequeno
ALMOÇO Salada de tabule (trigo integral, pepino e tomate)
Macarrão colorido (2 pegadas)
LANCHE 1 iogurte natural com 2 morangos
JANTAR Sopa fria de beterraba (*Bosh*) com leite desnatado (150 grs)
Peito de frango coberto com queijo minas, orégano e pedacinhos de tomate seco e azeite (200 grs)
CEIA Cubinhos de gelatina *diet* com dois sabores

DÉCIMO SEGUNDO DIA

CAFÈ	Chá com leite
	1 torrada integral com geléia *diet*
LANCHE	1 fatia de queijo branco
ALMOÇO	Salada de grão-de-bico e hortelã
	Quibe assado (100 g)
	Berinjela recheada com carne moída (150 g)
LANCHE	1 pêssego
JANTAR	Salada de aipo e tomate
	Picadinho de frango com *shitake* (2 colheres de sopa)
	Purê de legumes (3 colheres de sopa)
CEIA	Mate com laranja

DÉCIMO TERCEIRO DIA

CAFÉ	Vitamina com leite (100 ml) e mamão
LANCHE	1 polenguinho *light*
ALMOÇO	Salada de berinjela, pimentão e passas
	1 batata média assada no forno (papel alumínio) com pimenta-do-reino e páprica picante
	Hambúrguer (100 g)
LANCHE	1 caqui
JANTAR	Salada de folhas verdes e aspargos em conserva
	Filé *mignon* com molho de *champignon* (200 grs)
	Purê de abobrinha (2 colheres de sopa)
CEIA	1 banana cozida no microondas

DÉCIMO QUARTO DIA

CAFÉ	Suco de tomate temperado e 1 ovo *pochê*
LANCHE	3 Tirinhas de queijo branco com pimenta calabresa
ALMOÇO	Salada de acelga, alcaparras e pedacinhos de laranja

	Arroz integral (2 colheres de sopa)
	Camarões graudos na mini moranga (4 unidades)
LANCHE	1 pêssego
JANTAR	salada de fundo de alcachofra com molho de mostarda e azeite
	Peixe vermelho ou pargo assado no forno com ervas finas (200 grs)
	Abobrinha no azeite (3 colheres de sopa)
CEIA	1 goiaba

Capítulo 18

DIETA FASE DOIS – CARDÁPIOS

PRIMEIRO DIA

CAFÉ	Suco de mamão com tangerina (1 fatia média de mamão formosa)
	1 tangerina
LANCHE	1 fatia de pão *diet* com geléia *diet* de frutas vermelhas
ALMOÇO	Salada de beterraba
	Risoto de lulas (2 colheres de sopa)
	Pinhão refogado (1 colher de sopa)
LANCHE	1 laranja
JANTAR	Salada de agrião com tomate e pepino
	Sopa de peito de frango com couve e cenoura (1 prato de sopa)
CEIA	Água de coco (1 copo)

SEGUNDO DIA

CAFÉ	Café com 1 torrada de farinha integral e *homus*
LANCHE	6 lichias
ALMOÇO	Salada russa – beterraba, cenoura, chuchu com leite e mostarda
	Sobrecoxa de frango assada com páprica picante (200 grs)
	2 Trouxinhas de repolho recheada com arroz integral e gergelim
LANCHE	Refresco de ameixa com água
JANTAR	Linguado com alcaparras (200 grs)

	Brócolis japonês no vapor (2 colheres de sopa)
CEIA	Chá de laranja com canela

TERCEIRO DIA

CAFÉ	Café e 1 pão de 30 g de cereais com cottage *light*
LANCHE	Gelatina *diet*
ALMOÇO	Salada de rúcula e linhaça, 3 a 4 pedaços de *crouton* e tomate
	Canelone de peito de peru recheado com tomate e queijo branco (5 rolinhos)
LANCHE	1 kiwi
JANTAR	Salada de alface roxa, repolho, acelga e cenoura em tirinhas
	Hambúrguer de soja (150 g)
CEIA	Chá verde com laranja

QUARTO DIA

CAFÉ	Suco de beterraba, água de coco e aipo
LANCHE	1 carambola
ALMOÇO	Salada de legumes (couve-flor, chuchu e abobrinha)
	Arroz de açafrão (2 colheres de sopa)
	Polvo à provençal (3 colheres de sopa)
LANCHE	1 gelatina *diet* com clara batida em neve com adoçante dietético
JANTAR	Consomê de legumes)
	Bife de panela enroladinho com cenoura e pimentão (150 g
CEIA	Chá de boldo com casca de maçã

QUINTO DIA

CAFÉ	Mate batido com pêssego
LANCHE	2 fatias de peito de peru
ALMOÇO	Salada de folhas verde-escuras com semente de mostarda e gergelim
	Purê de mandioquinha (2 colheres de sopa)
	Picadinho de carne de soja (2 colheres)
LANCHE	1 fruta-do-conde

JANTAR Salada de cenoura e radícchio
200g de chester com molho de laranja e 100g de *shimeji*
CEIA Chá de salsinha com hortelã

SEXTO DIA

CAFÉ Café e morangos com gelatina
LANCHE 1 ameixa
ALMOÇO Salada agrião e queijo branco
Macarrão cabelinho de anjo com nozes e azeite (3 pegadas)
Picanha na grelha (2 fatias)
Couve refogada
LANCHE Geléia de ameixa com 1 fatia de ricota
JANTAR Salada de tabule e folhas verdes
Atum na brasa (200 grs)
Purê de espinafre (2 colheres de sopa)
CEIA 2 kiwis

SÉTIMO DIA

CAFÉ Café com espuminha e canela
1 ovo quente
LANCHE Suco de couve com abacaxi
ALMOÇO Salada de aipo e passas
Espaguete ao vôngole (2 pegadas)
Abobrinha recheada com queijo branco (2 colheres de sopa)
LANCHE 1 cacho de uva pequeno
JANTAR Salada de repolho roxo e tomate cereja
Frango desfiado com molho de ervas (2 colheres de sopa)
Cenoura no forno com adoçante (2 coheres de sopa)
CEIA 1 tangerina

OITAVO DIA

CAFÉ	½ papaia com linhaça
LANCHE	Suco de casca de lima da pérsia
ALMOÇO	Salada de alface, rabanete e pimentão
	Rosbife (2 fatias) e fusilli com manjericão e azeite (2 colheres de sopa)
	Ervilhas no vapor (1 colher de sopa)
LANCHE	Café
JANTAR	Bacalhau (200 grs)
	Legumes variados (200grs)
	Couve no azeite (2 colheres de sopa)
CEIA	Chá de morango

NONO DIA

CAFÉ	1 maçã verde
LANCHE	Suco de cenoura com água de coco
ALMOÇO	Salada de berinjela e alface americano
	Arroz integral (1 colher de sopa)
	Feijão branco (1 colher de sopa)
	Carne moída com cenoura (2 colheres de sopa)
LANCHE	1 fatia de melancia
JANTAR	1 Hambúrguer de 250g com cebolas pequenas no forno
CEIA	Chá de frutas cítricas

DÉCIMO DIA

CAFÉ	1 cacho de uva thompsom e café
LANCHE	Mate com limão
ALMOÇO	Salada de repolho roxo e tomate seco
	Talharim com rúcula e frango desfiado (2 pegadas)
LANCHE	30 g de amendoim
JANTAR	Lagostim ao molho de limão (200g)
	Mostarda refogada (2 colheres de sopa)
CEIA	Chá de maçã

DÉCIMO PRIMEIRO DIA

CAFÉ	1 fatia de peito de peru com 1 fatia de pão *light* e café
LANCHE	1 fatia de melão
ALMOÇO	Talharim verde de espinafre (2 pegadas
	Purê de cenoura (2 colheres de sopa)
LANCHE	1 pêssego
JANTAR	Moqueca de siri (2 colheres de arroz)
	Tomate recheado com manjericão e ervas (2 unidades)
CEIA	Chá verde com casca de tangerina

DÉCIMO SEGUNDO DIA

CAFÉ	Suco de acerola, laranja e morango
LANCHE	1 torrada com geléia de framboesa *diet*
ALMOÇO	Salada de rúcula, *crouton* e tomate cereja
	Peito de boi assado (100 g)
	Mandioca cozida (1 média)
LANCHE	2 figos
JANTAR	Coelho na mostarda (150 g)
	Vagem no vapor (2 colheres de sopa)
CEIA	Abacaxi com hortelã (1 fatia)

DÉCIMO TERCEIRO DIA

CAFÉ	Suco de caju
	1 torrada integral com geléia de maçã *diet*
CEIA	5 morangos
ALMOÇO	Salada de salsão com cebola, brócolis e vagem
	Arroz integral (2 colheres de arroz)
	Estrogonofe de carne (100)
LANCHE	Tirinhas de cenoura com pepino (2 unidades cada)
JANTAR	Salada verde com queijo branco

	Sopa de tomate com ovos cozidos e manjericão (1 prato fundo)
CEIA	Chá de laranja

DÉCIMO QUARTO DIA

CAFÉ	1 taça de frutas picadas (maçã, figo e banana) com aveia
LANCHE	Café
ALMOÇO	Salada de agrião, repolho e soja
	Macarrão gravatinha com atum e salsinha (2 colheres de arroz)
LANCHE	2 fatias de peito de peru
JANTAR	Salpicão de pimentão, frango, cebola e aipo com mostarda
	Salmão com pimenta rosa (150 g)
	Couve-flor gratinada no forno (200g)
CEIA	Chá de maracujá

Capítulo 19

DIETA FASE TRÊS – CARDÁPIOS

PRIMEIRO DIA

CAFÉ	2 ovos mexidos e 1 xícara de café grande
LANCHE	Suco de graviola
ALMOÇO	Salada de aspargos e pimentão amarelo
	Filé de frango com couve-flor (200g de cada)
LANCHE	2 bananas-passa
JANTAR	Salada de berinjela, abobrinha e broto de feijão
	Sopa de frutos do mar (1 prato fundo)
CEIA	Chá de canela

SEGUNDO DIA

CAFÉ	Café com 3 fatias de peito de peru (café grande)
LANCHE	Suco de cupuaçu
ALMOÇO	Salada de palmito
	Língua ao molho madeira (2 fatias)
	Ratatouille (2 colheres)
LANCHE	2 castanhas-do-pará
JANTAR	Salada de agrião, sardinha e palmito
	Omelete de legumes com 3 claras e 1 gema
CEIA	Chá de erva-cidreira

TERCEIRO DIA

CAFÉ	¼ de abacate com limão
LANCHE	Suco de framboesa
ALMOÇO	Salada de kani com camarão e alface
	Truta com amêndoas (150g)
	Pimentão recheado com tomate, manjericão e passas (1 unidade)
LANCHE	3 tâmaras
JANTAR	Salada de milho, ervilha e alface roxo
	Badejo ao forno com cebolas carameladas com adoçante (200 grs)
	Ervilha torta no vapor (2 colheres de sopa)
CEIA	Chá de anis

QUARTO DIA

CAFÉ	Suco de pêra com laranja (1 pêra e 1 laranja)
LANCHE	3 fatias de peru *light*
ALMOÇO	Salada de escarola com tomate e cenoura
	Frango a passarinho passado no azeite (100g)
	Purê de ervilhas (2 colheres de sopa)
LANCHE	Musse de melancia
JANTAR	Salada de mostarda com nabo e tomate
	1 ovo pochê com 1 fatia de filé mignon (150g)
CEIA	Refresco de casca de lima da pérsia com melão

QUINTO DIA

CAFÉ	1 banana com 1 colher de sobremesa rasa de aveia
LANCHE	1 xícara grande de café
ALMOÇO	Salada de alface americano, palmito e beterraba
	Pintado na brasa (1 posta)
	Chuchu recheado com tomate, orégano, pimentão e cebola (200grs)
LANCHE	2 damascos secos
JANTAR	Salada de atum com aipo e cenoura ralada
	Sopão com músculo, abóbora, abobrinha, beterraba, cenoura e

	coentro (1 prato fundo)
CEIA	Chá preto com manjericão

SEXTO DIA

CAFÉ	¼ de abacate com 1 colher de sobremesa de aveia
LANCHE	Mate batido com guaraná *diet*
ALMOÇO	Salada de pupunha com azeite, hortelã e taioba
	Frango com quiabo (3 colheres de sopa)
LANCHE	½ manga
JANTAR	Salada de agrião, alface roxo, repolho e ervas finas
	Bacalhau ao forno e purê de beterraba (200 grs))
	Purê de beterraba (2 colheres de sopa)
CEIA	Refresco de água de coco com limão

SÉTIMO DIA

CAFÉ	Abacaxi com laranja
CEIA	1 xícara de café
ALMOÇO	Salada de soja com pimentão verde, vermelho e amarelo
	Avestruz com molho de salsinha (100 g)
	Purê de espinafre (2 colheres de arroz)
LANCHE	Salada de fruta com ½ banana, ½ laranja e ½ maçã
JANTAR	Salada de abobrinha, abóbora e repolho roxo
	Omelete de *champignon* (2 claras e 1 gema)
	Couve-de-bruxelas no azeite com alho (2 colheres de sopa)
CEIA	Refresco de tangerina

OITAVO DIA

CAFÉ	Suco de mamão com pêra e 1 colher de sobremesa de aveia
LANCHE	1 ovo *pochê*
ALMOÇO	Salada de escarola com cebola, pimenta rosa e peito de peru

	Peito de frango desossado com coentro (200g), salsinha, pimenta-do-reino e páprica picante
	Purê de abóbora (3 colheres de sopa)
LANCHE	1 pêra
JANTAR	Salada de nabo ralado, rabanete e ervilha
	Sopa de cebola com missô (1 prato fundo)
CEIA	Mate batido com laranja

NONO DIA

CAFÉ	Pêssego com amora (1 pêssego e 2 amoras)
LANCHE	3 damascos secos
ALMOÇO	Salada de tomate, alface, cebola e nabo ralado
	Moqueca de camarão (2 colheres de sopa)
	Pirão (1 colher de sopa)
	Brócolis no vapor (2 colheres de sopa)
LANCHE	Caqui
JANTAR	Salada de endívias e legumes cozidos
	Escalopinho de filé com molho de vinho (150g)
	Purê de cenoura (3 colheres de sopa)
CEIA	3 amêndoas

DÉCIMO DIA

CAFÉ	Melão com 2 fatias de peito de peru
LANCHE	Chá de hortelã com gengibre
ALMOÇO	Salada de *moyashi*, mostarda e radicchio
	Bolo de carne moída com ovos (2 fatias grossas)
LANCHE	3 bananas-passa
JANTAR	Salada de fundo de alcachofra (2 unidades)
	Haddock com ervas finas (150 g)
	Purê de ervilha (2 colheres de arroz)
CEIA	Refresco de mate com casca de maçã

DÉCIMO PRIMEIRO DIA

CAFÉ	1 banana cortada ao meio com 2 fatias de queijo branco derretido por cima.
	Café com leite
LANCHE	1 laranja picada
ALMOÇO	Salada de repolho cru com cenoura temperada com iogurte desnatado
	200 g de hamburguer de carne moída
	Espinafre com 1 ovo pochê
LANCHE	Salada de frutas
JANTAR	Salada de frutos do mar com folhas verdes
	Bacalhau desfiado com cebolas assadas (200 grs)
CEIA	Coalhada fresca (100g)

DÉCIMO SEGUNDO DIA

CAFÉ	Café com ½ papaia e aveia
LANCHE	5 avelãs
ALMOÇO	Salada de espinafre com tomate seco
	Hambúrguer de peru (150g) com tomate recheado de pimentão, abobrinha e cottage
	Maxixe no vapor (2 colheres de sopa)
LANCHE	1 cacho de uva rubi pequeno
JANTAR	Salada de couve-flor com kani
	Íscas de fígado (200g)
	Couve no azeite (2 colheres de sopa)
CEIA	30 g de pêra seca

DÉCIMO TERCEIRO DIA

CAFÉ	2 ovos mexidos
	1 xícara de café
LANCHE	Suco de caju natural

ALMOÇO	Salada de rúcula, tomate e almeirão
	Sardinha portuguesa no forno (200g)
	Purê de abóbora (2 colheres de sopa)
LANCHE	Melão cantaloup (fatia média)
JANTAR	Salada de *shitake* com broto de feijão
	Bife acebolado (200g)
	Purê de abobrinha
CEIA	3 figos secos

DÉCIMO QUARTO DIA

CAFÉ	Suco de *grapefruit* com maçã
CEIA	1 ovo *pochê*
ALMOÇO	Salada de alho-poró, erva-doce e pepino
	Caçarola de lulas (200 grs)
	Berinjela gratinada (2 colheres de sopa)
LANCHE	6 lichias
JANTAR	Salada de folhas verdes
	Tornedor (150g)
	Purê de castanhas (2 colheres de sopa)
CEIA	Gelatina *diet* de morango com pedacinhos de morango

Capítulo 20
CARDÁPIOS EM CASA

1. RISOTO DE CARNE COM BANANA

INGREDIENTES:

1 xícara de arroz integral
1 colher (sobremesa) de azeite
100 grs de carne moída
1 cebola pequena ralada
1 dente de alho
½ pimentão verde picado
½ pimentão amarelo picado
4 xícaras de água fervente
1 ramo de coentro
3 folhas de manjericão
1 banana-nanica
1 colher de açafrão
50g de queijo-de-minas

MODO DE PREPARO:

Em uma panela, aqueça o óleo, junte o alho, a cebola e refogue o arroz até ficar bem sequinho. Acrescente a carne moída, o açafrão, o coentro, o manjericão e refogue por 3 minutos. Junte os pimentões e a banana sempre mexendo. Coloque a água fervendo aos poucos, até que cozinhe totalmente. Sal a gosto.

Coloque numa travessa refratária, rale o queijo-de-minas e polvilhe por cima. Gratine no forno.

Serve 4 pessoas

2. SALMÃO COM ERVAS AROMÁTICAS

INGREDIENTES:

200 g de salmão
1 pitada de sal *light*
Pimenta-do-reino
Ervas aromáticas a gosto
Fatias de manga para decorar

MOLHO:

50 ml de azeite extravirgem
5 lâminas de gengibre
3 talos de erva-doce
Sal *light*
Pimenta-do-reino
1 fatia de limão

MODO DE PREPARO:

SALMÃO:

Lave as postas de salmão e tempere-as com sal, ervas aromáticas e pimenta-do-reino. Deixe descansar por 5 minutos.

Deixe na grelha (280 graus) por 20 minutos. Regue aos poucos com o molho e vire o salmão. Monte o prato com as fatias de manga.

MOLHO:

Bata tudo no liqüidificador e reserve.

Serve 2 pessoas

3. SALADA DE RÚCULA E MORANGOS

INGREDIENTES:

1 ramo de rúcula

7 morangos

100 g de chester desfiado

30 g de nozes

MOLHO:

Separe dois morangos e um pouco de água fervida

Sal *light*, limão e um pouco de azeite extravirgem

Bata no liqüidificador e reserve.

MODO DE PREPARO:

Monte o prato com as folhas de rúcula, salpique com os morangos cortados ao meio, acrescente o chester e as nozes cortadas ao meio. Regue com o molho.

Serve 4 pessoas

4. ENROLADINHO DE ACELGA COM AMÊNDOAS

INGREDIENTES:

4 folhas grandes de acelga
Água quente e sal
1 colher (sobremesa) de azeite
1 xícara de miolo de acelga picado
½ xícara de pimentão verde
¼ xícara de azeitonas pretas
Sal *light*
¼ xícara de amêndoas picadas
¼ xícara de atum em lata

MODO DE PREPARO:

Passe as folhas de acelga na água fervente com sal até murcharem e deixe esfriar.

À parte, refogue no azeite o miolo da acelga, as azeitonas e o pimentão. Acrescente as amêndoas e o atum.

Recheie as folhas de acelga com o refogado. Enrole-as com cuidado fechando as bordas. Para servir, corte em sentido diagonal e deixe esfriar.

Serve 4 pessoas

5. FEIJÃO AZUKI COM LEGUMES

INGREDIENTES:

200 grs de feijão azuki
Água para cozinhar
1 cenoura
2 lascas de gengibre
2 folhas de louro
½ abobrinha
1 chuchu pequeno
1 couve-flor pequena

MODO DE PREPARO:

Leve o feijão para cozinhar com a cenoura. Depois, acrescente a abobrinha, a couve-flor e o chuchu.

Acrescente as folhas de louro e o gengibre.

Sal a gosto. Sirva com arroz integral cateto.

Serve 4 pessoas

6. CREME DE AMEIXA COM AVEIA

INGREDIENTES:

1 xícara (chá) de leite desnatado

2 colheres (sopa rasa) de aveia integral

3 ameixas pretas

1 colher (sopa) de adoçante em pó

1 colher (café) de canela

1 colher (sobremesa) de uva-passa

MODO DE PREPARO:

Coloque todos os ingredientes no liqüidificador (menos a canela e as passas) e bata até ficar uma massa homogênea. Despejar a mistura em uma vasilha e levar ao microondas na potência máxima. Polvilhar com canela e decorar com as passas. Sirva quente. Acompanha assados.

Serve 4 pessoas

7. SALPICÃO DE CAMARÃO COM CHAMPIGNON

INGREDIENTES:

200 g de camarão sete-barbas cozido
½ pimentão vermelho picado
½ pimentão amarelo picado
½ pimentão verde picado
2 cenouras em tiras
1 maçã verde em tiras
10 g de aipo em tiras
Sal e mostarda *light*
Limão e pimenta-do-reino
1 rodela de abacaxi pérola
Iogurte *light*
30 g de champignon

MODO DE PREPARO:

Em uma tigela, coloque o camarão cozido, a cenoura, o aipo, a maçã, os pimentões, sal e limão. Por último, coloque o iogurte temperado com a mostarda *light* e a pimenta-do-reino, misturando tudo. Corte o abacaxi e decore o prato. Acrescente o champignon já cozido.

Serve 4 pessoas

8. MOQUECA DE BADEJO PICANTE

INGREDIENTES:

300 g de badejo em cubos
2 colheres (sopa) de azeite
3 dentes de alho picados
2 cebolas picadas
1 pimentão verde picado
1 ramo de coentro
pimenta branca síria
30 g de leite de coco *light*
2 tomates sem pele picados
1 colher de colorau

MODO DE PREPARO:

Em uma panela de barro aqueça o azeite, doure o alho e acomode o badejo. Junte os tomates, as cebolas, os pimentões, o colorau e o coentro. Misture o leite de coco e tempere com a pimenta e o sal. Tampe a panela e cozinhe em fogo brando. Salpique coentro picado e tirinhas de pimenta dedo-de-moça para enfeitar.

Serve 4 pessoas

9. SUCOS (SUBSTITUTOS DO CAFÉ DA MANHÃ)

(Se quiser, acrescente aveia)

Limão com folha de beterraba
Água de côco com couve
Abacate com hortelã
Maçã verde, cenoura e alface ameriano.
Água de cocô com hortelã.
Pêssego com mate.
Mate com leite.
Limão, hortelã e aipo.
Pera com tangerina
Maçã com gengibre
Folha de beterraba com limão
Caju com maçã
Manga com limão
Couve com água de coco
Uva com melão
Acerola com abacaxi
Pêssego com goiaba
Kiwi com melancia
Lima-da-pérsia com morangos
Figo com *grapefruit*
Mamão com erva-doce
Ameixa com laranja
Framboesa com caqui
Hortelã com abacate
Licchia com cereja
Graviola com amora
Alface americana, cenoura e maçã verde
Couve, água de coco e hortelã
Água de coco com abacaxi
Limão com cereja
Morangos com laranja
Uva com kiwi
Mate com pêssego
Leite com mate
Aipo com hortelã e limão
Grapefruit com goiaba
Acerola com caqui
Melão com ameixa
Nectarina com maracujá
Limão siciliano com figo

10. SALADA DE KANI VERÃO

INGREDIENTES:

1 pacote de kani kama
½ abacaxi pérola picado
½ vidro de palmito
Pimenta branca a gosto
1 pé de alface americana
100 g de alcaparras
Azeite de oliva extravirgem
Semente de gergelim
Limão, vinagre de maçã
Mostarda *light*

MODO DE PREPARO:

Corte o kani em rodelas e deixe dois inteiros para decorar.

Misture os ingredientes da salada, exceto as folhas de alface para decoração, e o kani. Coloque em uma travessa e enfeite com alface e kani. Regue com azeite, limão, mostarda, sal *light* e pimenta branca a gosto.

Serve 4 pessoas

11. PENNE TROPICAL

INGREDIENTES:

200 g de penne tricolor
2 dentes de alho
1 colher (sobremesa) de azeite extravirgem
1 cebola ralada
1 pimentão vermelho picado
100 g de ervilha
50 g de cenoura picada
½ xícara de cebolinha verde picada
½ xícara de salsinha picada
1 pitada de páprica picante
100 g de lulas cozidas

MODO DE PREPARO:

Cozinhe a massa em 3 litros de água com sal *light* e um fio de azeite.

Escorra em uma panela. Coloque o azeite, a páprica, o alho, a cebola e refogue até dourar. Acrescente os pimentões, as ervilhas e cozinhe até ficarem crocantes. Desligue o fogo. Acrescente as lulas cozidas e temperadas e enfeite com salsinha e cebolinha verde. Sirva quente.

Serve 4 pessoas

12. ARROZ COM PINOLI E PASSAS

INGREDIENTES:

200 grs de arroz integral

1 cebola média

1 colher (sobremesa) de azeite

1 litro de água

1 tablete de caldo de galinha *light*

50 g de passas brancas

50 g de pinoli

1 fatia de queijo branco

Sementes de gergelim

MODO DE PREPARO:

Leve ao fogo em uma panela o azeite e deixe aquecer. Acrescente a cebola, frite e coloque as passas, o pinoli e o arroz lavado e escorrido.

Mexa bem e deixe fritar, sempre mexendo durante 4 minutos. Acrescente o tablete de caldo de galinha dissolvido em água e deixe cozinhar em fogo alto.

Quando começar a secar, abaixe o fogo e tampe a panela até acabar o cozimento. Coloque o queijo picadinho com o arroz ainda quente e polvilhe com sementes de gergelim.

Serve 4 pessoas

13. ROSBIFE DE PANELA COM CEBOLINHA CARAMELADA

INGREDIENTES:

1 kg de maminha limpa

Sal *light*, alho, cebola, salsinha

Vinagre de maçã, azeite de oliva, pimenta síria

6 xícaras de água

4 colheres (sopa) de adoçante dietético

50 g de cebolinha

MODO DE PREPARO:

Fure bem a carne e tempere com vinagre, sal, salsinha, azeite e pimenta síria. Deixe descansar por 4 horas.

Depois, leve ao fogo alto dourando a carne por fora e juntando aos poucos a água com adoçante. Faça isto até dourar a carne e ficar com cor de chocolate por fora. Faça alguns cortes na diagonal para assar a carne por dentro, o que deve durar em torno de 30 a 40 minutos. Em seguida, tampe a panela e deixe esfriar tampada.

Coloque as cebolinhas já cozidas para caramelar nesse molho e sirva-o quente com o rosbife.

Serve 6 pessoas

14. COMPOTA DE CARAMBOLA

INGREDIENTES:

6 carambolas cortadas na transversal
3 cravos-da-índia
3 raminhos de canela
500 ml de água
3 colheres (sopa) de adoçante dietético
Essência de baunilha
Limão

MODO DE PREPARO:

Em uma panela grande, coloque a água com a carambola e acrescente a canela, o cravo e a essência de baunilha.

Cozinhe em fogo brando sem deixar a carambola perder o formato de estrela. Quando a água secar, acrescente o limão.

Serve 4 pessoas

15. TORTA GELADA DE FRANGO COM PIMENTA ROSA

INGREDIENTES:

8 fatias de pão integral sem casca
150 g peito de frango temperado
½ xícara de salsão picado
30 g de pimenta rosa
2 fatias de abacaxi pérola
¼ xícara de azeitonas verdes
100 g de passas brancas
Suco de limão
Azeite extravirgem
Iogurte *light*
Mostarda *light*
1 cenoura ralada

MODO DE PREPARO:

Forre o fundo e as laterais de uma forma redonda com papel-alumínio. Deixe uma sobra de papel para fechar no final.

Distribua metade das fatias de pão e reserve.

Em um recipiente misture o frango, as passas, o abacaxi, o salsão e as azeitonas picadas.

Faça um molho com suco de limão, 120 g de iogurte *light* temperado com mostarda *light* e a pimenta com sal *light* a gosto. Misture o molho com o frango e cubra o pão. Reserve um pouco do molho.

Coloque a outra metade do pão em cima e cubra com um pouco do molho que sobrou. Cubra com papel-alumínio e coloque no *freezer*. Tire 30 minutos após e decore com a cenoura ralada.

Serve 4 pessoas

16. LASANHA À MODA MEDITERRÂNEA

INGREDIENTES:

100 g de massa de lasanha integral

2 berinjelas

2 abobrinhas

2 cenouras

3 tomates

100 g de queijo chancliche com zata

200 ml de leite desnatado

Orégano, manjericão, azeite extravirgem

Sal *light*

MODO DE PREPARO:

Pique o queijo chancliche, corte as abobrinhas, a berinjela e o tomate e tempere com sal *light*.

Para montar a lasanha, unte o recipiente com azeite e coloque a massa em tiras no fundo separadas.

Sobreponha a abobrinha, coloque outra camada de massa e disponha uma parte do queijo chancliche.

Adicione a berinjela e a cenoura.

Coloque nova massa por cima.

Regue com o leite.

Coloque o queijo novamente e cubra com rodelas de tomate salpicadas com orégano, manjericão, azeite e pedacinhos de queijo chancliche.

Asse em forno médio por aproximadamente 1 hora.

Serve 4 pessoas

17. DOCE *LIGHT* DE GOIABA COM CREME DE COTTAGE

INGREDIENTES:

DOCE DE GOIABA

5 goiabas cortadas em 4 partes

2 colheres de adoçante em pó

2 colheres de suco de laranja

CREME DE COTTAGE

1 colher de suco de laranja

½ xícara de cottage *light*

½ xícara de iogurte desnatado

MODO DE PREPARO:

Leve ao fogo a goiaba com 150 ml de água e o adoçante. Quando a água reduzir, acrescente a laranja. Retire e deixe gelar.

Bata na batedeira o queijo cottage com o iogurte e o suco de laranja.

Coloque o creme por cima e enfeite com casca de laranja ralada.

Sirva gelado

Serve 4 pessoas

18. CORDEIRO COM CASTANHAS ADOCICADAS

INGREDIENTES:

250 g de cordeiro (filé)

100 g de castanhas descascadas e cozidas

Sal *light*

Azeite extravirgem, suco de limão, 2 cabeças de alho

½ xícara de hortelã picada

½ xícara de iogurte desnatado

Pimenta branca

MODO DE PREPARO:

Tempere o cordeiro com sal *light*.

Em uma frigideira bem quente, regue com azeite e doure o alho. Acrescente o cordeiro e grelhe por 5 minutos.

MOLHO:

Bata o iogurte com o suco de limão e a hortelã. Tempere com sal e pimenta branca.

CASTANHAS:

Coloque as castanhas em 500 ml de água fervendo com 3 colheres de adoçante em pó.

Deixe secar a água e dourar as castanhas.

Monte o prato com o cordeiro, o molho e as castanhas ao redor.

Serve 4 pessoas

19. MEDALHÃO COM MOLHO DE ABACATE

INGREDIENTES:

4 medalhões de filé *mignon*
Sal *light*
1 colher (sobremesa) de azeite extravirgem
¼ xícara de limão
1 pitada de canela em pó

MOLHO.

½ abacate
Suco de limão
Pimenta calabresa
½ iogurte light
1 colher (sobremesa) de azeite extravirgem
1 colher (sobremesa) de mostarda *light*

MODO DE PREPARO:

Tempere o medalhão com sal light.

Em uma panela, coloque o azeite e doure o medalhão acrescentado o suco de limão.

Bata no liquidificador o abacate, o iogurte, o azeite, o sal, o suco de limão, a mostarda e a pimenta calabresa

Sirva o medalhão com o molho e uma pitada de canela em pó.

Serve 4 pessoas

20. CREPE *LIGHT* DE FRANGO COM LEGUMES

INGREDIENTES:

4 folhas de papel de arroz

2 talos de salsão picado

3 colheres de ervas frescas picadas (hortelã, salsinha, cebolinha e manjericão)

Sal *light* e pimenta-do-reino

2 tomates sem pele e sementes

1 colher (sobremesa) de azeite de oliva extravirgem

1 cenoura ralada

100 g de frango desfiado cozido no caldo de frango

1 tablete de caldo de galinha *light*

MODO DE PREPARO:

Misture em uma tigela a cenoura, o salsão, os tomates, as ervas, o sal, a pimenta-do-reino, o azeite e o frango.

Hidrate as folhas de papel-arroz uma a uma em uma assadeira por 30 segundos.

Abra as folhas em uma superfície lisa, coloque o recheio e feche como um rolinho primavera.

Serve 4 pessoas

21. PERU COM MOLHO DE GENGIBRE

INGREDIENTES:

300 g de peito de peru aberto como bife
1 colher (sobremesa) de azeite
2 dentes de alho
Sal *light*
3 folhas de sálvia
Suco de limão
100 ml de leite desnatado

MOLHO:

5 lascas de gengibre
¼ xícara de iogurte desnatado
1 colher (sobremesa) de azeite extravirgem
Suco de limão
1 colher de mostarda *light*

MODO DE PREPARO:

Em uma panela, refogue o peru no azeite, junte o alho, a sálvia, o suco de limão e o leite. Tampe e cozinhe em fogo brando por uma hora, virando de vez em quando.

Bata o gengibre, o azeite, o iogurte, o suco de limão e a mostarda no liquidificador.

Regue o peru com o molho e sirva quente.

Serve 4 pessoas

22. TORTA DE SOJA COM CENOURA

INGREDIENTES:

1 xícara de feijão de soja cozido

¼ xícara de proteína de soja

½ xícara de molho de tomate

¼ xícara de cheiro-verde picado

½ cebola ralada

2 ovos batidos

½ xícara de cenoura cozida picada

Orégano e sal *light*

1 colher (sobremesa) de azeite

MODO DE PREPARO:

Misture o feijão de soja amassado, a proteína de soja, o molho de tomate, o cheiro-verde, a cebola, os ovos e a cenoura temperada com sal e orégano. Leve ao forno por 20 minutos. Sirva com cenoura ralada crua por cima.

Serve 4 pessoas

23. BRÓCOLIS COM PEITO DE PERU

INGREDIENTES:

2 maços de brócolis
6 fatias de peito de peru
Sal *light*
2 colheres (sopa) de cebola ralada
1 colher (sopa) de mostarda
1 colher (sobremesa) de azeite
Orégano
2 colheres (sopa) de queijo branco picado
2 colheres (sopa) de farinha de trigo integral
1 copo de leite desnatado

MODO DE PREPARO:

Lave o brócolis e cozinhe na água e sal.

Aqueça o azeite, o leite e a farinha; cozinhe em fogo brando.

Acrescente a mostarda, o orégano e a cebola.

Em uma forma refratária coloque o brócolis, as fatias de peito de peru e jogue o molho por cima. Cubra com o queijo e coloque para gratinar por 10 minutos.

Serve 4 pessoas

Capítulo 21
CARDÁPIOS NO RESTAURANTE

FASE UM

ALMOÇO

1. Frango ao *curry* com arroz integral
2. Yakissoba de legumes
3. Picadinho de carne com arroz e farofa
4. Espaguete com frutos do mar
5. Linguado com batata cozida e brócolis
6. Frango xadrez
7. Suflê de legumes com escalopinho

JANTAR

1. Cação com alcaparras e espinafre no vapor
2. Omelete de camarão
3. Sopa de legumes com carne
4. Peito de frango com *panaché* de legumes
5. Camarão na moranga
6. Tornedor com salada verde
7. Salmão com molho de gengibre e purê de cenoura

FASE DOIS

ALMOÇO

1. Espaguete ao vôngole
2. Filé de peixe grelhado com purê de mandioquinha (sem leite)
3. Risoto de fungui
4. Arroz com feijão, bife e salada
5. Suflê de legumes
6. Frango ensopado com arroz selvagem
7. Tagliatelle com lagarto

JANTAR

1. Salmão com espinafre
2. *Steak au poivre*
3. *Haddock* ao forno com brócolis
4. Frango ao molho de mostarda
5. Carne seca com abóbora
6. Peito de peru com legumes no vapor
7. Coelho à caçadora

FASE TRÊS

ALMOÇO

1. Polvo à provençal
2. Frango guisado com cebolinha
3. Salmão em papillote
4. Bife de fígado com pimentão recheado
5. Bacalhau à moda portuguesa
6. *Paillard* com purê de legumes variados
7. Pato desossado com purê de castanhas

JANTAR

1. Churrasco de picanha (sem gordura) com saladinha verde
2. Camarão pitu no bafo com salada de legumes
3. Picadinho de carne de soja com molho picante
4. *Cheeseburguer* com salada verde
5. Sopa de aspargos
6. Carne assada com berinjela recheada
7. Kibe assado com folha de parreira

Capítulo 22

TABELA NUTRICIONAL DOS ALIMENTOS

ABACAXI	Rico em bromelina, boro e vitaminas B1, B2 e C.
ABACATE	Ácido fólico, magnésio, ferro, vitaminas B3, B1, B6 e E.
ALCACHOFA	Fibras, ferro, magnésio, potássio, ácido fólico e fósforo.
ACEROLA	Vitamina C.
ACELGA	Vitamina A, potássio, magnésio, enxofre, ferro, sódio e fibras.
AÇAFRÃO	Ferro.
ABÓBORA	Vitamina A, magnésio e potássio.
ÁGUA DE COCO	Sódio, potássio, magnésio.
AGRIÃO	Vitamina C e K, cálcio, ferro e enxofre.
AIPO	Fibras, potássio e sódio.
ALFACE	Ácido fólico e vitaminas K e C.
ALGAS	Iodo, sódio, potássio, lítio e enxofre.
ALHO	Alhina, vitamina B6 e selênio.
ATUM	Vitamina B12.
AMEIXA	Vitamina B6, potássio, magnésio e cobre.
AMÊNDOAS	Vitaminas B2, K e E.
AMENDOIM	Vitaminas B1, B3, B6 e E.
ASPARGOS	Vitamina K.
ARROZ INTEGRAL	Fibras, magnésio, selênio, zinco, vitaminas B6, B3, B1 e B5.
AVEIA	Rica em sílica.
AZEITE DE OLIVA	Rico em ômega 3 e vitamina E.
AVELÃ	Vitaminas E, B6, magnésio, cobre, enxofre, ácido fólico e fósforo.

BACALHAU	Sódio, vitamina B3, potássio, fósforo, magnésio e selênio.
BANANA	Ácido fólico, biotina, potássio, ácido pantotêmico e vitamina B6.
BATATA	Rica em potássio, vitaminas C, B1 e B6.
BATATA-DOCE	Rica em betacaroteno, vitaminas E e A.
BERINJELA	Vitamina B12 e potássio.
BETERRABA	Ácido fólico, magnésio, enxofre, potássio.
BERTALHA	Vitamina A, cálcio e ferro.
BRÓCOLIS	Vitamina C, queracetina, betacaroteno, luteína, cromo, glutationa, vitaminas A e K, ácido fólico.
BROTO DE BAMBU	Potássio.
CAJU	Vitamina C e ferro.
CAFÉ	Cafeína.
CAQUI	Potássio.
CAMARÃO	Sódio, fósforo e ferro.
CARÁ	Vitamina B6.
CARANGUEJO	Zinco.
CASTANHA-DO-PARÁ	Selênio, fósforo, magnésio, ferro, cobre, fibras, enxofre, zinco, cálcio e vitaminas B1 e B6.
CASTANHA-DE-CAJU	Vitaminas E e B6, sódio, fósforo, ferro, cobre e zinco.
CEBOLA	Queracetina, vitamina B6 e enxofre.
CENOURA	Betacaroteno e vitamina A.
CEVADA	Tocotrienois, magnésio, cobre, fósforo, enxofre e zinco.
CHÁ	Cafeína.
CHÁ VERDE	Catequinas e vitamina K.
CHOCOLATE	Cobre, fósforo e zinco.
COCO	Fibras, selênio, vitamina B6 e fibras.
COGUMELO	Proteínas, cobre, vitaminas B1 e B5 e ferro.
COUVE-FLOR	Vitaminas K, B6 e C.
COUVE	Vitaminas K, A e C, potássio, cobre, enxofre e fibras.
CRAVO	Eugenol.
DAMASCO	Vitaminas A e E.
ESPINAFRE	Fibras, ácido fólico, vitaminas A, B12, C, K, A e B2.

ERVILHA Vitamina C, E e B5, potássio, cobre, selênio, enxofre e fósforo.

FEIJÃO Ácido fólico e vitamina k.

FÍGADO Ácido fólico, ácido pantotêmico, biotina, vitaminas A, B1, B2, B6, B, B12 e K.

FIGO Vitaminas B3 e B6 e fibras.

GEMA DE OVO Ácido pantotêmico, biotina, vitaminas B1, D e E.

GOIABA Vitaminas C, B3 e B6, potássio e fibras.

GRÃO-DE-BICO Fibras, ácido fólico, vitamina B1, potássio, fósforo, magnésio, ferro, cobre e zinco.

GERME DE TRIGO Ácido fólico, vitaminas E, B1 e B2 e ácido pantotêmico.

GENGIBRE Lítio.

INHAME Potássio.

IOGURTE Zinco, sódio, potássio, cálcio, fósforo, magnésio, selênio, vitaminas B5 e B2.

KIWI Vitamina C e potássio.

LARANJA Vitaminas C e B12 e ácido fólico.

LEITE Vitaminas B3, B12, D, K, A e B1.

LEITE DE SOJA Vitamina E, lipídios (99,9%), ácidos graxos monoinsaturados, ácidos graxos polinsaturados.

LIMÃO Vitamina C e potássio.

MAÇÃ Boro e pectina.

MAMÃO Vitamina C, ácido fólico, potássio e fibras.

MANGA Vitaminas A, C, B1 e B6, cobre, potássio e ácido fólico.

MEL Boro e lítio.

MELANCIA Biotina, vitaminas B1, B6 e C.

MARISCOS Iodo.

MELÃO Vitaminas B6 e A, potássio e ácido fólico.

MILHO Vitamina B3.

MORANGO Biotina e vitamina K.

MOSTARDA Vitamina E, sódio, selênio.

NABO Potássio e enxofre.

NOZES Vitamina E.

ÓLEO DE CANOLA	Ômega 3, vitamina E
ÓLEO DE LINHAÇA	Ferro, zinco, manganês, fósforo, cálcio, B1, B2, vitamina C,E, caroteno
ÓLEO DE SOJA	Vitaminas E e K.
ÓLEO DE MILHO	Vitamina E.
ÓLEO DE GIRASSOL	Vitamina E.
ÓLEO DE AMENDOIM	Vitamina E.
OVOS	Ácido fólico, vitaminas B2, B3, B6, B12, A e B1.
OSTRA	Zinco e vitamina B12.
PAPAIA	Vitaminas A e C.
PEIXE	Vitaminas B e B6.
PÊSSEGO	Vitaminas A, K, E e B3 e potássio.
PIMENTA	Vitamina C.
PIMENTÃO	Vitamina C.
PÊRA	Fibras e potássio.
QUEIJO	Vitaminas B12, D, K e B2.
QUIABO	Magnésio, enxofre e potássio.
RABANETE	Vitamina C e enxofre.
REPOLHO	Ácido fólico, vitamina K, enxofre e fibras.
SALSA	Vitamina C e ferro.
SALMÃO	Vitaminas D e B1.
SARDINHA	Biotina e vitamina D.
SEMENTES DE GIRASSOL	Magnésio, fósforo, potásio, vitamina E, sódio, vitamina B6, vitamina B12, folato, tiamina, niacina.
SOJA	Isoflavona, vitamina E, fósforo e cobre.
TÂMARA	Fibras.
TOMATE	Vitamina C e potássio.
TOFU	Magnésio, ferro e cálcio.
TRIGO INTEGRAL	Ácido pantotêmico.
UVA	Resveratrol e potássio.
VINHO	resveratrol e vitamina B6.

Capítulo 23

MINERAIS – ONDE ENCONTRÁ-LOS

BORO	Pêssego, abacaxi, maçã, pêra, soja, nozes, passas, tâmaras, uvas, amendoim, avelã, mel e leguminosas.
CÁLCIO	Leite e seus derivados, couve, brócolis, mariscos, chicórea, feijão, lentilha, sardinha, iogurte, tofu, queijo, sorvete, ricota, pão integral, maçã, couve-flor, espinafre, laranja e camarão.
CLORO	Sal, frutos do mar, leite, carnes e ovos.
CROMO	Levedo de cerveja, cereais integrais, batata, germe de trigo, ovos, ostra, maçã, espinafre, carne e fígado.
COBALTO	Fígado, ostra, leite, carne bovina e derivados de leite.
COBRE	Ostra, fígado, tofu, ervilha, salmão, pão integral, leite, frutas secas, vísceras e cereais integrais.
ENXOFRE	Leite, castanhas, ovos, legumes e carnes.
FERRO	Fígado, ervilhas, feijão, carne vermelha, batata, espinafre, pão integral, brócolis, ovos, queijo, leite e vegetais verdes.
FLÚOR	Chás e água potável.
FÓSFORO	Leite e derivados, ovos, cereais, leguminosas e amêndoas, tofu,couve-flor, levedo de cerveja, carne vermelha e batata.
IODO	Sal de cozinha, leite, ovos, frutos do mar, algas marinhas, cebola, espinafre, abacaxi e pão integral.
LÍTIO	Cana-de-açúcar, algas e gengibre.
MAGNÉSIO	Leite, cereais integrais, tofu, castanha-de-caju, germe de trigo, espinafre, pão integral e batata.
MANGANÊS	Queijo, manteiga, maçã, cereais integrais, nozes, amêndoas e amendoim.

MOLIBIDÊNIO	Germe de trigo, leite, couve-flor, ervilhas, trigo integral, espinafre, arroz integral, lentilha e folhas verde-escuro.
POTÁSSIO	Abacate, espinafre, feijão preto, passas, batatas, banana, laranja, leite cebola, couve-flor, água de coco e amendoim.
SELÊNIO	Castanha-do-pará, cogumelos, salmão, ostra, germe de trigo, granola, carne vermelha, ovos, leite e queijo, alho.
SÓDIO	Sal de cozinha, frutos do mar, pão, cenoura, espinafre, leite e derivados.
VANÁDIO	Arroz, milho, ervilha, óleo de girassol, aveia, pimenta-do-reino, trigo integral, tomate, ostra, ovo, salsa, óleo de soja e cenoura.
ZINCO	Ostra, germe de trigo, leite e ovos.

Capítulo 24

SINTOMAS DE DÉFICIT DE MINERAIS

CÁLCIO	Palpitação, insônia, cãibras musculares, nervosismo, braços e pernas entorpecidos, dentes estragados, osteoporose, unhas quebradiças, cabelos grisalhos, palpitação no coração, tetania, hipertensão arterial, parestesia, ansiedade, otosclerose, hipercolesteronemia,fadiga física e mental.
CROMO	Arteriosclerose, intolerância à glicose nos diabéticos, distúrbio do metabolismo dos aminoácidos, diabetes, fadiga, hiperinsulinemia, hiperglicemia, neuropatia periférica e depressão.
COBALTO	Anemia por deficiência de ferro.
COBRE	Fraqueza geral, respiração reduzida, feridas na pele, anemia por deficiência de cobre, colesterol elevado, leucopenia, despigmentação da pele e cabelos.
FÓSFORO	Perda de apetite, fadiga, respiração irregular, desordens nervosas, perda de peso, irritabilidade, ansiedade, dores articulares, alteração do crescimento e desmineralização óssea.
FERRO	Dificuldade de respiração, unhas quebradiças, anemia por deficiência de ferro, pele pálida, fadiga, prisão de ventre, língua ferida ou inflamada.
LÍTIO	Desordens maníaco-depressivas, depressão e alteração do humor.
MAGNÉSIO	Confusão, desorientação, ira desencadeada facilmente, nervosismo, pulso rápido, tremores, insuficiência cardíaca, angina, arritmias, alterações neuromusculares, hipercolesteronemia, alucinações, fadiga, anorexia, desequilíbrios mentais, aumento

	da adesividade plaquetária.
MANGANÊS	Falha na coordenação motora, tontura, barulho nos ouvidos, perda de audição, metabolismo anormal dos carboidratos e ácidos graxos, alergias, problemas nas juntas e nas costas, arritmias, osteoporose, perda de peso, cegueira, surdez e obnubilação.
MOLIBIDÊNIO	Quebra dos dentes, problemas visuais, taquicardia, diminuição da longevidade, impotência, perda de peso, hipersensibilidade ao álcool e câncer de esôfago.
POTÁSSIO	Acne, sede contínua, pele seca, prisão de ventre, fraqueza em geral, insônia, lesões musculares, nervosismo, batidas do coração irregulares, hipertensão arterial, insuficiência cardíaca congestiva, depressão e alteração no metabolismo da glicose.
SELÊNIO	Toxidez por mercúrio, insuficiência pancreática, toxidez cardíaca por drogas, pigmentos do envelhecimento, peroxidação lipídica, problemas hemolíticos no sangue, desgaste muscular, infarto do miocárdio, deficiência imunológica, miopatias, infertilidade e impotência, catarata, retinopatia diabética, degeneração macular e câncer.
SILÍCIO	Descalcificação dos ossos, tendinites e doenças cardiovasculares.
SÓDIO	Perda de apetite, gás intestinal, retração muscular, vômitos e perda de peso.
VANÁDIO	Crescimento reduzido, aumento das cáries dentárias, do colesterol, dos triglicérides, do ferro nos ossos e sangue, depressão, dificuldade de aprendizado, deficiência de reprodução, obesidade, diabetes, câncer e doenças cardíacas.

Capítulo 25

VITAMINAS – ONDE ENCONTRÁ-LAS

ÁCIDO FÓLICO	Carne, fígado, espinafre, repolho, laranja, alface, brócolis, germe de trigo, banana e ovos.
ÁCIDO PANTOTÊMICO	Fígado, gema de ovo, brócolis, trigo integral e batata.
BIOTINA	Fígado, sardinha, gema de ovo, batata, banana, amendoim, morango e melancia.
VITAMINA A	Fígado, salmão, batata-doce, cenoura, espinafre, abóbora, manga, damasco, brócolis e pêssego.
VITAMINA B1	Carne de porco, germe de trigo, gema de ovo, peixes, farinhas integrais, fígado, frango e miúdos.
VITAMINA B2	Fígado, língua de boi, espinafre, berinjela, levedo de cerveja, óleo de peixe, arroz e arroz integral.
VITAMINA B3	Levedo de cerveja, fígado, frango, abacate, amendoim, figo seco, leite e ovos.
VITAMINA B6	Carne de boi, fígado, cereais integrais, peixe, carne de porco, amendoim, couve-flor e levedo de cerveja.
VITAMINA B12	Fígado, rim de boi, ostra, atum, leite, queijo, frango e aves.
VITAMINA C	Limão, laranja, abacaxi, acerola, goiaba, alface, pimentas, pimentão, tomate, agrião e espinafre
VITAMINA D	Óleo de fígado de bacalhau, salmão, sardinha, camarão, gema de ovo, leite e queijo cheddar.

VITAMINA E	Óleo de germe de trigo, nozes, carnes, amendoim, óleo de milho, gema de ovo, batata, damasco, azeite de oliva e amêndoas.
VITAMINA K	Fígado, couve-flor, chá verde, espinafre, ervilhas, alface, aspargos, feijão, queijo e agrião.

Capítulo 26

SINTOMAS DE DÉFICIT DE VITAMINAS

Vitamina A: Cegueira noturna

Xeroftalmia

Infecções

Acne

Secura de pele

Oleosidade dos cabelos

Perda de brilho dos cabelos

Fadiga

Insônia

Anorexia

Falta de cicatrização

Aumento da incidência de câncer

Vitamina D: Desmineralização óssea

Raquitismo

Osteomalácia

Osteoporose

Doença de Alzheimer

Doença de Crohn

Retocolite ulcerativa

Deficiência de absorção de cálcio

Vitamina E: Anemia ferropriva

Infecções
Câncer
Periodontite
Doença de Alzheimer
Doenças musculares
Neuropatia periférica

Vitamina K: Osteoporose

Alteração da coagulação
Dismenorréia
Hipermenorréia

Vitamina B1 – Tiamina: Beribéri

Edema
Perda de massa muscular
Taquicardia
Cardiomegalia
Paralisia periférica
Fadiga
Depressão
Falta de memória

Vitamina B2 – Riboflavina: Hipotiroidismo

Fotofobia
Lacrimejamento
Estomatite
Glossite
Irritação ocular

Vitamina B3 – Niacinamida: Fraqueza muscular

Indigestão
Erupção de pele
Anorexia
Pelagra

Dermatite
Diarréia
Demência

Vitamina B5 – Ácido pantotêmico: Fadiga

Queimação plantar
Depressão
Hipoglicemia
Imunodeficiência
Insuficiência supra-renal

Vitamina B6 – Piridoxina: Fadiga

Fraqueza muscular
Irritação
Cefaléia
Depressão
Imunodeficiência
Anemia
Insônia
Descoordenação motora
Convulsões

Vitamina B12 – Cobalamina: Anemia perniciosa

Vitamina H – Biotina: Alopécia

Enfraquecimento das unhas
Depressão
Dermatite
Alucinações
Anemia
Conjuntivite
Anorexia
Dermatite seborréica
Dores musculares

Vitamina B15 – Ácido Pangâmico: Depressão

Envelhecimento

Fadiga crônica

Cardiopatia

Déficit imunológico

Vitamina C: Escorbuto

Déficit imunológico

Queda de cabelo

Distúrbios psiquiátricos

Gengivite

Perda dos dentes

Depressão

Fragilidade capilar

Alergias

Úlceras

Infecções

Alterações do crescimento

Cicatrização deficiente

Estomatite

Capítulo 27

METAIS TÓXICOS – ONDE ENCONTRÁ-LOS

ALUMÍNIO	Água potável, queijo, farinha de trigo e sal. Embalagens e panelas de alumínio. Latas de conservas, desodorante e perfumes. Pastas de dente, antiácidos, embalagens de aspirinas. Filtro de cigarros, utensílios de cozinha (facas, garfos e colheres).
ARSÊNICO	Carvão mineral (sua queima exala o mineral no meio ambiente), herbicida, pesticida, preservativos de madeira, frutos do mar, cerveja, sal, algas, sabão e produtos veterinários.
BERÍLIO	Indústria aeronáutica, bicicletas, molinetes e utensílios domésticos.
BÁRIO	Cerâmica, tintas, tecido, pesticida, sabão, borracha, plásticos e papéis.
CÁDMIO	Cigarro, farinhas refinadas, ostras, rins bovinos, peixes, chás, café, baterias elétricas, canos galvanizados e pigmentos estabilizadores termoplásticos.
CHUMBO	Gasolina, enlatados (nas soldas), inseticidas, vinho, leite, bateria, encanamento de casa, tinta de brinquedo, cigarro, uísque, cosméticos (tinta de cabelo), tinta de parede, alimentos: fígado e vegetais (cultivados em áreas industriais), água (pela lavagem dos canos e soldas), munição, tintas antimofo, forração de cabos e pigmentos.
MERCÚRIO	Fungicidas, pesticidas, amálgamas, queima de carvão mineral, cosméticos (usados como inibidor de crescimento de bactérias), garimpagem de ouro, água, alimentos (peixes e frutos do mar), açúcar, tomate, mercúrio-cromo, ceras, lâmpadas de vapor de

	mercúrio, polidores, filtros de ar-condicionado, creme clareador de pele, espelhos, tatuagens, baterias, preservativos de madeira, catalizadores e tintas antimofo.
NÍQUEL	Cigarro, escapamento de automóveis, indústria química, baterias de celulares, ligas, galvanizações e catalisadores.
VANÁDIO	Ligas, catalisadores e pigmentos.

Capítulo 28

SINTOMAS DE EXCESSO DE METAIS TÓXICOS

Metal Tóxico	Partes Afetadas	Interfere com as funções	Toxidez
ALUMÍNIO	estômago, ossos, cérebro.	irritante para o intestino, afeta formação dos ossos, convulsões.	irritante gastro-intestinal, cólica.
ARSÊNICO	células (metabolismo celular).	inibidor metabólico (reduz a eficiência da produção de nergia), envenenamento de células e enzimas.	raquitismo, fadiga, baixa vitalidade, indiferença, perda da sensação de dor; perda dos cabelos do corpo, manchas escuras na pele, gastroenterite.
BÁRIO	músculos, coração, sistema nervoso.	alteração do tônus muscular, alterações cardíacas, alteração do metabolismo celular.	vômitos, diarréia, dores abdominais, náuseas.
BERÍLIO	pulmões, fígado, coração e rins.	inibidor de enzimas. De ATP, DNA, morte celular tecidual.	dispnéia, perda de peso, tosse fadiga, dor no peito, anorexia, fraqueza.

Metal Tóxico	Partes Afetadas	Interfere com as funções	Toxidez
CÁDMIO	córtex renal,vasos sanguíneos, coração, rins, sistema nervoso.	estrutura do coração e vasos (hipertensão hipotensão, rins, perda de apetite, perda de olfato, alteração do metabolismo do cálcio.	hipertensão, hipotensão, danos nos rins, perda de apetite e de olfato.
CHUMBO	ossos, fígado, rins, pâncreas, coração, cérebro, sistema nervoso.	envenenamento por enzimas, produção de osteoblasto, formação de sangue, bloqueio de enzimas nas células 4n.	fraqueza, apatia, palidez, prisão de ventre, perda de memória, perda de pensamento sofisticado.
MERCÚRIO	sistema nervoso, centros de dor e apetite, membranas celulares.	destrói células, bloqueia o transporte de açúcares e aumenta a permeabilidade ao potássio.	perda de apetite e peso, distúrbios mocionais, tumores, lterações no sangue, inflamação na gengiva, dificuldade de mastigar e engolir, convulsões, perda da sensação de dor.
NÍQUEL	irritações na pele, câncer dos pulmões, alguns indivíduos são hipersensíveis.	DNA, TGP, TGO.	câncer, dermatite de contato, erupções de pele, gengivites, estomatite.

Capítulo 29
TIPOS DE GORDURAS

GORDURAS TRANS-SATURADAS

Presentes em batata frita, margarina e biscoitos amanteigados. Não traz benefício à saúde e aumenta o colesterol; risco de doença cardíaca. Evite-as.

GORDURAS SATURADAS

Presentes em carnes gordas, laticínios e coco. Alguns tipos de gordura saturada encontradas em bifes e manteiga podem entupir as artérias. Limite-as a 5% da ingestão diária.

ÔMEGA 6

Presentes em óleos vegetais, sementes e nozes. Pode baixar o LDL e o colesterol total, mas o alto consumo pode abaixar o benéfico colesterol HDL. Limite a 5 % de ingestão diária.

ÔMEGA 3

Presente em peixes gordurosos, óleos vegetais e nozes. Abaixam o nível de triglicérides e o colesterol total. Alto consumo pode retardar a coagulação sangüínea.

GORDURAS MONOINSATURADAS

Presentes no azeite de oliva, abacate e amendoim. Abaixa o LDL e o colesterol total. Ingira a maior parte de gordura desse tipo.

QUANTIDADE DE ÔMEGA 3

BOA	ÓTIMA	EXCELENTE
Bacalhau	Atum	Anchovas
Linguado	Ostra	Carpa
Hadoque	Tubarão	Arenque
Lula	Cavala	
Camarão	Salmão	
Sardinha		
Esturjão		

Capítulo 30
DOSES DIÁRIAS RECOMENDADAS DE NUTRIENTES

NUTRIENTE	DDR
Vitamina A	2.666 UI
Vitamina D	5 mcg
Vitamina B1	1,4 mg
Vitamina B2	1,6 mg
Vitamina B3	18 mg
Vitamina B5	6 mg
Vitamina B6	2 mg
Vitamina B12	1 mcg
Vitamina C	60 mg
Vitamina E	10 mg
Biotina	0,15 mg
Ácido fólico	200 mg
Vitamina K	80 mg
Cálcio	800 mg
Fósforo	800 mg
Magnésio	400 mg
Manganês	5 mg
Ferro	14 mg
Flúor	4 mg
Zinco	15 mg
Cobre	5 mg
Iodo	150 mcg

NUTRIENTE	DDR
Selênio	70 mcg
Molibidênio	250 mcg
Cromo	200 mcg

Capítulo 31

BIBLIOGRAFIA

CARVALHO, Paulo Roberto Carlos de. *Medicina ortomolecular*. Editora Nova Era, 2000.

PISANI, Fábio. *Mudança de hábito alimentar*. Editora Probel, 1999.

FRANCO, Lelington Lobo. *Frutas – caminho para Saúde*. Editora Vozes, 2004.

CARNEIRO, Ivani Iaropoli C. *Do congelamento alimentar*. MEC, 1985.

CORREIA, Vera Lúcia; BASTOS, Dina; FESTA, Ângela; TADINO, Cida. *Soja*. Editora Escala, 2004.

PÓVOA, Helion; ARAÚJO, Andréa; SEIXAS, Lúcia. *O tempo nada a seu favor*. Editora Objetiva, 2007.

COSTA, Neuza Maria Brunoro; ROSA, Carla de Oliveira Barbosa. *Alimentos funcionais*. Editora Folha de Viçosa, 2006.

BERNARDES, L. Heloísa. *Equilíbrio através da pele*. Editora Tecnopress, 1997.

SALGADO, Jocelem Mastrodi. *Faça do seu alimento seu medicamento*. Editora Madras, 2000.

PÓVOA, Helion. *Nutrição cerebral*. Editora Objetiva, 2005.

RAMOS, Felipe Hernandes. *Antienvejecimento com nutricion ortomolecular*. Editora Integral, 2007.

FAVIER, Jean-Claude; RIPERT, Jayne Ireland; TOQUE, Carole; FEIBERG, Max. *Repertório geral dos alimentos*, 2ª edição. Editora Roca, 1995.

WELBACH, Melvyn. *A cura através da nutrição*. Editora Revinter, 2001.

FRANCO, Guilherme. *Tabela de composição química dos alimentos*, 9ª edição. Editora Atheneu, 2007.

VEIGA, Antonio Carlos Teixeira da; COIMBRA, Luciana de Aguiar. *Abrindo a geladeira*. Editora LaVidapress, 2007.

OLSZEWER, Efraim; NAVEIRA, Miguel; GARCIA, Sonia. *Nutrição ortomolecular*. Editora Tecnopress, 1997.

100 | Receitas

1

DESFIADO DE CARNE COM CEBOLA

INGREDIENTES:

1 peito de boi de 500 grs

2 cebolas

2 damascos secos

1 colher (sopa) de azeite

1 pitada de sal *light*

1 dente de alho

1 pitada de louro em pó

MODO DE FAZER:

Refogue o peito de boi com alho, cebola e azeite. Cozinhe o peito de boi e acrescente a pitada de louro e o sal *light*. Desfie. Doure as cebolas no azeite e reserve. Refogue o peito com as cebolas e os pedacinhos de damasco picado. Sirva com salada de folhas verdes.

Serve 4 pessoas

2

OVOS ASSADOS À VEGETARIANA

INGREDIENTES:

4 ovos
200 g de vagem cozida refogada
100 g de peito de peru picado
Sal *light*
Queijo ralado
1 colher (chá) de margarina com fitosterois
1 colher (sopa) de molho de tomate fresco

MODO DE FAZER:

Unte uma forma com margarina. Coloque um pouco de queijo ralado e depois as gemas. Coloque por cima a vagem e o molho de tomate. Cubra com as claras batidas em neve. Por último, coloque queijo ralado e leve ao forno moderado por 15 minutos até os ovos cozinharem.

Serve 4 pessoas

3

OMELETE DE SHITAKE

INGREDIENTES:

100 g de shitake

Sal *light*

1 colher (chá) de azeite

2 ovos

1 colher (chá) de cebola picada

Salsa e cebolinha picadas

MODO DE FAZER:

Em uma frigideira, doure a cebola no azeite e refogue o shitake. Reserve. Bata as gemas e depois as claras em neve; acrescente a salsa e a cebolinha picadas. Faça a omelete e recheie com shitake.

Serve 2 pessoas

4

SANDUÍCHE ESPECIAL VEGETARIANO

INGREDIENTES:

1 pão árabe *light* pequeno
Alface americana
2 tomates cereja
½ berinjela cozida
Sal *light*
1 colher (chá) de azeite
Rodelas de pimentão vermelho, orégano, páprica picante, cebola e vinagre

MODO DE FAZER:

Misture todos os ingredientes e faça uma pasta homogênea. Passe no pão e coloque folhas de alface e tomate cereja cortado ao meio.

Serve 1 pessoa

5

COXA DE FRANGO À MODA INDIANA

INGREDIENTES:

4 sobrecoxas de frango

Sal *light*

1 colher (chá) de óleo de canola

Páprica picante

1 pitada de orégano

1 pitada de canela

1 colher de vinagre branco

1 pitada de pimenta-do-reino

1 dente de alho

1 cebola pequena

MODO DE FAZER:

Tempere a sobrecoxa com alho, cebola, vinagre, pimenta do reino e sal light. Asse em forno moderado e acrescente a páprica, o orégano e a canela por cima ao servir.

Serve 4 pessoas

6

SOPA GELADA DE TOMATE COM PIMENTA ROSA

INGREDIENTES:

1 litro de suco de tomate

2 folhas de manjericão picadas

Pimenta rosa em grão

Sal *light*

1 pitada de curry

1 colher (chá) de suco de limão.

1 colher (chá) de vinagre branco

MODO DE FAZER:

Misture os ingredientes ao suco de tomate e, por último, acrescente as folhas de manjericão e a pimenta rosa para enfeitar. Coloque na geladeira e sirva gelado.

Serve 4 pessoas

7

ROLINHOS DE REPOLHO COM FRANGO AO *CURRY*

INGREDIENTES:

8 folhas de repolho inteiras
200 g de peito de frango em tirinhas
2 pimentões vermelhos picados
Sal *light*
Pimenta síria
Cebolinha picada
2 colheres (chá) de *curry*
1 colher (chá) de óleo de canola
1 dente de alho
1 pitada de alecrim

MODO DE FAZER:

Ferva o repolho em água e sal por 10 minutos. Refogue o frango com alho, sal, óleo, cebolinha, um pouco de pimenta e páprica. Acrescente o alecrim e os pimentões picados ao molho com pouca água. Faça os rolinhos com as folhas de repolho. Enfeite com cebolinha.

Serve 4 pessoas

8

SALADA TROPICAL

INGREDIENTES:

100 g de kani
100 g de palmito
Alface americana
12 ovos de codorna
Pimenta branca
3 colheres (sopa) de iogurte desnatado
Sal *light*
100 g de manga picada
1 colher (chá) de azeite

MODO DE FAZER:

Forre uma travessa com alface americana e por cima coloque o kani, as rodelas de palmito, a manga misturada ao iogurte e os ovos de codorna cortados ao meio. Tempere com pimenta branca e sal. Regue com azeite.

Serve 4 pessoas

9

ABACATE GRATINADO COM PESCADO MARINADO

INGREDIENTES:

1 abacate
Sal *light*
200 g de filé de peixe
2 colheres (sopa) de vinagre branco
1 cebola média em rodelas
1 pimentão vermelho em tirinhas
1 colher (chá) de azeite
1 pitada de pimenta-do-reino
Suco de 1 limão

MODO DE FAZER:

Dê uma fervura no filé de peixe. Tempere-o com vinagre, sal, pimenta-do-reino, azeite e pimentão. Reserve. Deixe o tempero por 24 horas com suco de limão. Gratine o abacate cortado em tiras com um pouco de sal. Sirva com o filé de peixe marinado enfeitado com cebola e pimentões. Tempere com vinagre e azeite.

Serve 4 pessoas

10

RISOTO DE SALMÃO

INGREDIENTES:

200 g de arroz integral
1 colher (sopa) de azeite
200 g de salmão defumado
Sal *light*
½ iogurte desnatado
1 colher (chá) de mostarda em pó
1 colher (chá) de queijo ralado

MODO DE FAZER:

Faça o molho com iogurte desnatado, sal, azeite e mostarda. Misture no arroz. Acrescente o salmão defumado em tirinhas ao arroz. Deixe algumas fatias para enfeitar. Polvilhe com queijo ralado e gratine no forno.

Serve 4 pessoas

11

CREME DE COUVE-FLOR

INGREDIENTES:

1 couve-flor pequena
Sal *light*
1 colher chá de azeite
1 cebola pequena picada
1 colher café de cominho
1 pitada de pimenta-do-reino
1 copo de leite desnatado
1 colher sopa de salsinha picada
1 dente de alho

MODO DE FAZER:

Cozinhe a couve-flor. Refogue com alho, cebola e azeite. Bata no liquidificador com o leite e acrescente a pimenta-do-reino e o cominho. Enfeite com salsinha picada.

Sirva quente. Serve 4 pessoas

SALADA DE TOFU E COUVE-DE-BRUXELAS

INGREDIENTES:

Sal light
2 Colheres (sopa) de iogurte desnatado natural
100 g de tofu picado em quadradinhos
100 g de couve-de-bruxelas
50 g de nozes picadas
1 colher de (chá) de azeite
Salsinha picadinha
2 dentes de alho
5 tomates cereja
Pimenta-do-reino

MODO DE FAZER:

Cozinhe a couve-de-bruxelas com água e sal. Refogue com alho e azeite. Em uma travessa, arrume a couve-de-bruxelas, o tomate cereja e o tofu picadinho. Tempere com o iogurte temperado com azeite, sal e pimenta-do-reino. Acrescente as nozes picadas e enfeite com salsinha picada.

Serve 4 pessoas

13

SALADA DE MORANGOS COM ASPARGOS E QUEIJO

INGREDIENTES:

Sal light
200 g de morangos
200 g de aspargos
100 g de queijo branco picado
1 colher chá de vinagre de maçã
1 colher chá de azeite de oliva
Pimenta-do-reino branca
1 maço de rúcula
1 pitada de semente de girassol negra
Suco de 1 limão

MODO DE FAZER:

Em uma travessa, arrume a rúcula e depois os aspargos, o queijo e os morangos. Tempere com azeite, vinagre, pimenta-do-reino e sal. Coloque o suco de limão. Enfeite com semente de girassol negra.

Serve 4 pessoas

14

SALADA DE FIGO COM QUEIJO

INGREDIENTES:

Sal light
8 figos maduros cortados ao meio
200 g de queijo feta grego picado em cubos
1 colher (chá) de vinagre de arroz
1 colher (chá) de azeite
Pimenta síria
1 maço de agrião
5 castanhas-do-pará picadas

MODO DE FAZER:

Em uma travessa, arrume o agrião, os figos e o queijo. Tempere com azeite e pimenta síria, vinagre, sal, azeite e pimenta-do-reino. Enfeite com as castanhas-do-pará picadas.

Serve 4 pessoas

15

MOQUECA DE PEIXE *LIGHT*

INGREDIENTES:

1 kg de peixe em posta
Suco de 1 limão
1 cebola média picada
Sal *light*
1 colher de óleo de canola
1 pimentão verde em rodelas
2 tomates em rodelas sem sementes
1 colher (chá) de azeite de dendê
1 colher (chá) de páprica doce
1 colher (sopa) de coentro
1 colher (sopa) leite de coco
Pimenta-do-reino

MODO DE FAZER:

Em uma travessa refratária coloque o peixe, a cebola, o tomate, o pimentão, o limão, o coentro, a pimenta-do-reino e a páprica doce. Regue com azeite e leite de coco. Leve ao forno para cozinhar por 20 minutos.

Serve 4 pessoas

16

CUSCUZ DE ATUM *LIGHT*

INGREDIENTES:

1 lata de atum em água
100 g de ervilha
1 colher (chá) de azeite
Sal *light*
1 colher (sopa) de salsinha
1 pitada de louro em pó
1 dente de alho picado
3 colheres (sopa) de molho de tomate fresco
3 colheres (sopa) de farelo de milho amassado com garfo
1 cebolinha média
1 ovo cozido
4 azeitonas pretas
Ramos de salsinha para enfeitar

MODO DE FAZER:

Unte a forma com azeite. Na panela coloque o alho, a cebola, o azeite. Doure. Junte o tomate e o sal. Depois coloque a ervilha, o atum, o louro e o farelo de trigo. Deixe formar um bolo. Asse em fogo alto por 20 minutos. Enfeite com ovos cozidos cortados e ramos de salsinha. Desenforme.

Serve 4 pessoas

17

HAMBÚRGUER DE GRÃO-DE-BICO

INGREDIENTES:

250 g de grão-de-bico cozido
Sal *light*
1 cebola pequena picada
1 colher (chá) de azeite
Salsinha picada
1 colher (chá) de cebolinha picada
1 colher (chá) de farinha de trigo integral

MODO DE FAZER:

Amasse o grão de bico e acrescente o sal, a cebola picada, o azeite, e a farinha de trigo. Faça formato de hambúrguer e asse no *grill*. Enfeite com cebolinha picada. Sirva com salada verde.

Serve 2 pessoas

18

GOULASH *LIGHT*

INGREDIENTES:

1 kg de músculo cortado em cubos
1 kg de cebola picada
1 kg de pimentão vermelho picado
1 colher (sopa) de páprica picante
1 colher (sopa) de páprica doce
Sal *light*
1 colher (sopa) de óleo de canola

MODO DE FAZER:

Coloque o óleo de canola e a cebola na panela de pressão por 5 minutos. Acrescente a carne, o sal light, o pimentão, as pápricas por 1 hora. Sirva quente com arroz selvagem.

Serve 4 pessoas

19

BACALHAU À MODA DO PORTO

INGREDIENTES:

½ kg de lombo de bacalhau
2 cebolas médias
3 dentes de alho
1 maço de cheiro-verde
1 folha de louro
1 kg de tomates sem pele e sem semente em rodelas
2 colheres de sopa de azeite
Pimenta-do-reino a gosto
2 ovos
Sal *light*

MODO DE FAZER:

Em uma travessa refratária untada coloque o bacalhau já refogado em alho, cebola e azeite. Acrescente por cima as rodelas de cebola, o alho dourado e o azeite. Junte os tomates e a pimenta. Coloque as gemas batidas e bata as claras em neve. Leve ao forno para gratinar. Enfeite com cheiro-verde e regue com azeite.

Serve 4 pessoas

20

LINGUADO COM MOLHO DE UVA BRANCA

INGREDIENTES:

1 kg de linguado
3 dentes de alho
Suco de 1 limão
Sal *light*
1 colher de sopa de azeite
Noz-moscada
2 cebolas médias
Folha de manjericão
200 g de uva itália
1 colher (sopa) de conhaque
50 g de amêndoas em lascas
1 copo de iogurte desnatado natural

MODO DE FAZER:

Tempere o peixe com alho, limão, noz-moscada e azeite. Deixe marinar e leve ao forno por 10 minutos em forma untada. Cubra com papel alumínio. Faça o molho com cebola, alho, azeite e acrescente as folhas de manjericão e metade das uvas ao iogurte. Coloque as amêndoas e o conhaque e deixe engrossar o molho. Cubra o peixe com o molho e enfeite com o restante das uvas.

Serve 4 pessoas

21

FUNDOS DE ALCACHOFRA GRATINADOS

INGREDIENTES:

2 alcachofras

200 g de fundo de alcachofra

Sal *light*

Pimenta-do-reino

1 colher (sopa) de azeite

2 colheres (sopa) de queijo-de-minas cremoso

50 g de pistache picado

4 tomates secos

MODO DE FAZER:

Em uma panela coloque o queijo, os tomates secos amassados e picados, o pistache e forme uma pasta. Coloque sal, pimenta e azeite. Cubra a alcachofra com essa pasta e leve ao forno para gratinar por 20 minutos.

Serve 4 pessoas

PÊRA FLAMBADA COM MOLHO DE AVELÃS

INGREDIENTES:

Suco de limão
5 pêras cozidas
50 g de adoçante em gota
Suco de limão
100 g de avelãs picadas
1 colher de vinho branco
2 folhas de hortelã
1 pitada de canela em pó

MODO DE FAZER:

Cozinhe as pêras. Acrescente às pêras cozidas, o caldo de limão, o adoçante e a canela em pó. Em uma frigideira coloque o vinho branco, acenda um fósforo (flambe) e acrescente as avelãs. Misture as pêras no caldo.

Serve 4 pessoas

25

BRUSQUETA DE PÃO INTEGRAL COM SALPICÃO VEGETARIANO

INGREDIENTES:

8 rodelas de pão integral
1 pimentão vermelho picado
1 pimentão verde picado
1 pimentão amarelo picado
1 pepino
1 cebola média picada
1 dente de alho
5 azeitonas pretas picadas
1 colher (chá) de azeite
1 colher (sopa) de cottage *light*
Salsinha
1 tomate

MODO DE FAZER:

Sobre as rodelas de pão coloque o cottage, o pimentão, a azeitona, a cebola, o alho e o pepino; por último, acrescente os tomates. Tempere com azeite e enfeite com salsinha.

Serve 4 pessoas

BADEJO COM VERDURAS EM PAPILLOTE

INGREDIENTES:

4 postas de badejo
Sal *light*
2 colheres (chá) de azeite extravirgem
Suco de 1 limão
Pimenta-do-reino em grãos moída
100 g de cenoura em tirinhas
100 g de abobrinha em tirinhas
½ xícara de leite desnatado
1 pitada de mostarda em pó

MODO DE FAZER:

Tempere o peixe com pimenta, azeite, leite, limão, mostarda e um pouco de leite. Refogue a cenoura e a abobrinha já cozidas em azeite e alho. Coloque ao redor do peixe. Cubra o peixe e os legumes com papel alumínio. Asse em forno brando por 30 minutos.

Serve 4 pessoas

27

CREME DE ALCACHOFRAS

INGREDIENTES:

4 mini pães árabes light
350 g de coração de alcachofras
300 ml de leite desnatado
1 colher (chá) de *curry*
1 colher (chá) de vinagre branco
1 colher (chá) de azeite
Sal *light*
1 dente de alho
1 batata pequena

MODO DE FAZER:

Cozinhe a alcachofra. Reserve. Cozinhe as batatas. Refogue a alcachofra e as batatas em alho, cebola e azeite. Bata no liquidificador a batata e a alcachofra. Acrescente o *curry*, o vinagre e o leite. Sirva quente.

Serve 4 pessoas

FRIGIDEIRA DE FRANGO COM CHAMPIGNON

INGREDIENTES:

50 gramas de ameixa preta seca
1 kg de peito de frango defumado
2 dentes de alho
1 colher (sopa) de azeite
Sal *light*
2 colheres (sopa) de champignon
2 ovos
Salsinha
Queijo ralado

MODO DE FAZER:

Desfie o frango, cozinhe e refogue com alho e azeite. Tempere com sal *light*. Reserve. Em uma tigela, bata as claras em neve e depois as gemas. Coloque o frango, a ameixa preta picada, os champignons, a cebola, feche a omelete e enfeite com salsinha e queijo ralado.

Serve 4 pessoas

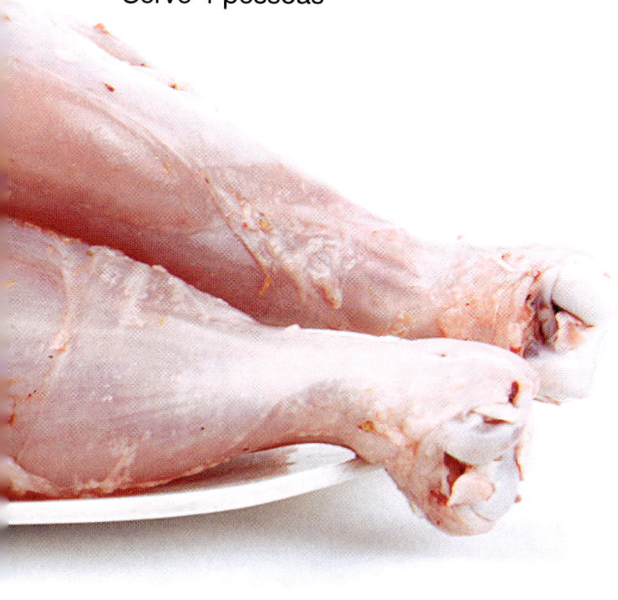

29

SORVETE DE MORANGO *LIGHT*

INGREDIENTES:

1 caixa de morangos
4 iogurtes naturais desnatados
Suco de 1 limão
1 colher (sopa) de adoçante
¼ de leite desnatado
1 colher (sopa) de geléia de morango *diet*

MODO DE FAZER:

Bata no liquidificador os morangos com o leite e o iogurte natural, acrescente o adoçante e o suco de limão. Coloque no *freezer*. Enfeite com picadinho de morango e geléia *diet*.

Serve 8 pessoas

BERINJELA COM DAMASCO E UVA PASSA

INGREDIENTES:

4 mini berinjelas
3 cebolas
1 pimentão verde picado
1 pimentão vermelho picado
Salsa
1 cebola picada
1 colher (chá) de azeite
Pimenta calabresa
50 g de uvas-passas brancas
5 damascos secos picados

MODO DE FAZER:

Refogue a berinjela. Coloque numa travessa refratária e acrescente os pimentões já cozidas com alho e cebola em azeite. Acrescente os pimentões, a salsa e a pimenta calabresa. Por último, coloque as uvas-passas e os damascos. Sirva com grelhados.

Serve 4 pessoas

OMELETE DE LEGUMES COM FRANGO

INGREDIENTES:

4 ovos
100 g de repolho cozido
100 g de frango defumado desfiado
1 cebola média picada
1 colher (sopa) de óleo de canola
Salsinha
100 g de queijo branco picado
Sal *light*
2 azeitonas pretas picadas

MODO DE FAZER:

Faça um recheio para a omelete com o frango, o repolho, a azeitona, a cebola e a salsinha. Bata as claras e depois as gemas. Feche. Polvilhe com a salsinha restante.

Serve 4 pessoas

32

FILÉ DE HADDOCK COM MOLHO DE ALCAPARRAS

INGREDIENTES:

1 kg de haddock
½ litro de leite
Suco de 1 limão
Salsinha
1 pitada de pimenta-do-reino
1 colher (chá) de azeite
2 colheres (chá) de alcaparras
1 colher (café) de mostarda em pó
Sal *light*

MODO DE FAZER:

Coloque em uma travessa untada com azeite o haddock temperado com limão, sal e pimenta. Acrescente o leite misturado à mostarda e as alcaparrras. Asse em forno médio por 30 minutos regando com o azeite restante. Enfeite com salsinha.

Serve 4 pessoas

33

SUFLÊ DE CENOURA

INGREDIENTES:

1 kg de cenoura cozida picada
3 ovos
1 colher (chá) de queijo parmesão ralado
1 colher (chá) de óleo de canola
1 cebola média picada
Cebolinha verde picada
Sal *light*
1 colher (chá) de farinha de trigo integral
1 dente de alho

MODO DE FAZER:

Refogue a cenoura com óleo, sal, cebola e alho. Coloque em uma travessa e acrescente a salsinha e a cebolinha. Bata os ovos e dissolva a farinha e o queijo ralado. Cubra a cenoura e asse em fogo moderado por 20 minutos.

Serve 4 pessoas

FEIJÃO BRANCO COM FRANGO

INGREDIENTES:

100 grs de feijão branco cozido
½ kg de feijão branco
1 kg de peito de frango em pedaços
4 tomates
2 dentes de alho
Salsinha
Suco de 1 limão
1 cebola picada
Coentro em pó
1 folha de louro
1 pimentão vermelho
Sal *light*
1 pitada de pimenta branca
1 colher (chá) de óleo de canola

MODO DE FAZER:

Cozinhe o feijão e refogue com alho, cebola e óleo. Refogue o tomate com alho pimenta e pimentão vermelho picado. Acrescente o louro, o coentro e o limão. Doure o frango neste refogado. Acrescente ao feijão e deixe cozinhar por mais 30 minutos.

Serve 4 pessoas

35

VITELA AO MOLHO DE CHAMPIGNON

INGREDIENTES:

1 kg de vitela picadinha
1 copo de leite desnatado
1 cebola média picada
2 dentes de alho
1 colher de mostarda em pó
Pimenta-do-reino branca
Sal *light*
1 colher (sopa) de óleo de canola
Salsinha
1 pitada de noz-moscada
1 copo de champignon

MODO DE FAZER:

Tempere a vitela com sal e um pouco de mostarda. Refogue com óleo, alho, pimenta e cebola. Acrescente o leite aos poucos com a mostarda, o champignon, a noz-moscada e a salsinha. Deixe engrossar. Cozinhe em fogo brando.

Serve 4 pessoas

PICADINHO DE FRANGO À MODA DO CHEFE

INGREDIENTES:

500 gramas de peito de frango
1 kg de peito de frango cozido em pedaços
1 colher (sopa) de óleo de canola
1 colher (chá) de páprica doce
1 pitada de louro em pó
2 dentes de alho
4 tomates com pele e sem sementes
1 pimentão vermelho picado
Sal *light*
Pimenta-do-reino branca
1 copo de iogurte natural desnatado
50 g de azeitonas pretas
1 pitada de canela em pó

MODO DE FAZER:

Tempere o frango com páprica, pimenta e sal. Refogue com óleo, alho e cebola até dourar. Acrescente o iogurte, os tomates, o pimentão e por último as azeitonas pretas, a canela e a pitada de louro. Cozinhe em fogo brando por 30 minutos.

Serve 4 pessoas

37

COQUETEL DE CAMARÃO

INGREDIENTES:

500 grs camarão miúdo
1 kg de camarão
Suco de 1 limão
1 colher (sopa) de vinho branco
1 colher (café) de páprica picante
Sal *light*
1 cebola média picada
2 dentes de alho
Coentro em pó
3 colheres (sopa) de geléia *diet* de morango
1 colher (sopa) de azeite

MODO DE FAZER:

Tempere os camarões com sal, coentro e páprica. Refogue com azeite, cebola e alho. Arrume em taças. Faça o molho com o limão, a geléia *diet* e o vinho branco. Coloque em taças e sirva frio

Serve 4 pessoas

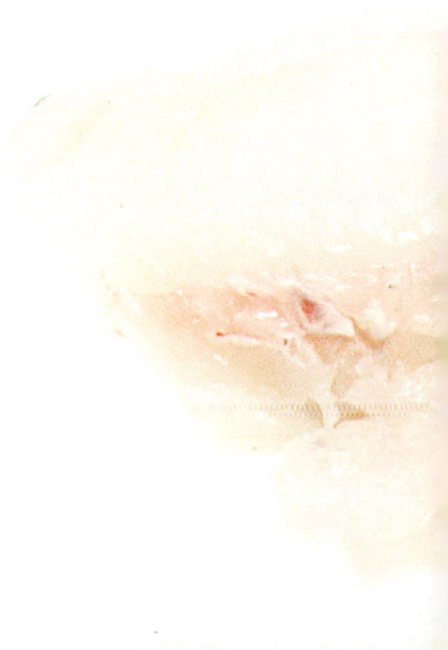

BACALHAU AO LEITE

INGREDIENTES:

4 postas de bacalhau
1 xícara de leite desnatado
1 colher (sopa) de azeite
4 gemas
Salsinha picadinha
Sal *light*
50 g de alcaparras
3 dentes de alho
2 cebolas médias picadas

MODO DE FAZER:

Retire o excesso de sal do bacalhau e deixe no leite por uma hora. Passe nas gemas e doure no azeite e no alho. Doure as cebolas. Coloque o bacalhau em uma travessa refratária cobrindo com as cebolas. Enfeite com as alcaparras e a salsinha.

Serve 4 pessoas

39

ARROZ COM AMÊNDOAS E PÊSSEGOS

INGREDIENTES:

1 xícara de arroz integral
1 colher (sopa) de azeite
100 g de amêndoas em lascas
Suco de 1 laranja
100 g de pêssegos picados
Sal *light*
Salsinha
Cebolinha
1 colher de vinho branco

MODO DE FAZER:

Acrescente ao arroz o molho feito com o suco de laranja, as amêndoas, o pêssego, o vinho branco, a salsinha e a cebolinha. Regue com azeite e tempere com sal *light*. Enfeite com salsinha.

Serve 4 pessoas

40

RISOTO DE PERU COM AÇAFRÃO

INGREDIENTES:

1 xícara de arroz integral

1 colher (sopa) de vinho branco

1 colher (sopa) de óleo de canola

1 colher (sopa) de açafrão

Sal *light*

Cebolinha

Salsinha

2 dentes de alho

1 cebola média picada

2 colheres (sopa) de ervilha

3 fatias de peito de peru

1 colher (sopa) de iogurte desnatado natural

MODO DE FAZER:

Refogue o peru com óleo, alho, cebola, sal e açafrão. Acrescente as ervilhas. Coloque o vinho branco e o iogurte, misture ao arroz. Enfeite com salsinha e cebolinha.

Serve 4 pessoas

41

CAMARÃO DE FORNO

INGREDIENTES:

1 kg de camarão miúdo
Salsinha
Sal *light*
4 dentes de alho
1 colher (sopa) de azeite
Suco de 1 limão
Queijo parmesão ralado

MODO DE FAZER:

Tempere os camarões com limão, sal e azeite. Refogue o alho em azeite e reserve. Em uma travessa arrume os camarões e cubra com o alho picado refogado e depois com o queijo ralado. Leve ao forno para gratinar e regue com azeite.

Serve 4 pessoas

42

PIZZA DE ANCHOVAS E QUEIJO BRANCO

INGREDIENTES:

4 pães árabes médios *light*

6 colheres (sopa) de molho de tomate fresco com manjericão

200 g de queijo branco picado

4 filés de anchovas

1 colher (sopa) de azeite

Orégano

Folhas de manjericão

MODO DE FAZER:

Sobre o pão, coloque o molho de tomate e acrescente o queijo picado e depois o filé de anchovas em tiras. Polvilhe com orégano e azeite. Enfeite com folhas de manjericão.

Serve 4 pessoas

43

ENROLADINHO DE ROSBIFE COM LEGUMES

INGREDIENTES:

8 fatias médias de rosbife
100 g de cenoura cozida em tirinhas
100 g de abobrinha cozida em tirinhas
2 ovos picadinhos
Sal *light*
1 colher (chá) de mostarda em pó
1 pitada de gengibre em pó
1 colher (chá) de azeite
1 colher (sopa) de vinagre branco
1 colher (sopa) de iogurte natural desnatado

MODO DE FAZER:

Misture o iogurte, a mostarda, o sal, o vinagre, o azeite, o gengibre e acrescente aos legumes. Recheie o rosbife com os legumes e o molho e siva frio. Enfeite a travessa com folhas de alface.

Serve 4 pessoas

44

MOQUECA DE GALINHA

INGREDIENTES:

½ frango picado sem pele

2 cebolas

Salsinha

2 dentes de alho

Sal *light*

Manjerona

Pimenta-do-reino

1 colher (chá) de azeite

1 colher (café) de azeite de dendê

1 folha de louro

Suco de 1 limão

1 colher (café) de colorau

MODO DE FAZER:

Tempere o frango com sal, pimenta-do-reino, manjerona e colorau. Refogue o frango com alho, cebola, sal e azeite. Acrescente água aos poucos e deixe cozinhar em fogo brando por 40 minutos. Coloque o azeite de dendê, a folha de louro, a salsinha e o suco de limão.

Serve 4 pessoas

45

OVOS SURPRESA

INGREDIENTES:

4 ovos
100 g de peito de peru
100 g de queijo branco
50 g de azeitonas verdes picadas
Sal *light*
Salsinha
1 colher (sopa) de óleo de canola

MODO DE FAZER:

Bata os ovos. Primeiro as gemas e após as claras. Acrescente o queijo branco, o peito de peru, as azeitonas picadas e o sal. Coloque em uma frigideira o azeite e faça no formato de omelete. Feche e cubra com salsinha.

Serve 4 pessoas

46

SALADA DE BACALHAU COM AZEITONAS

INGREDIENTES:

½ kg de lombo de bacalhau cozido
50 gramas de azeitona verde
2 colheres (sopa) de suco de limão
1 colher (sopa) de vinagre branco
1 cebola grande em rodelas
1 pimentão verde em rodelas
Sal *light*
1 colher (sopa) de azeite
Pimenta-do-reino branca
2 colheres (sopa) de iogurte desnatado natural
3 dentes de alho

MODO DE FAZER:

Desfie o bacalhau e refogue com azeite e alho. Doure a cebola, o alho e os pimentões. Reserve. Em uma travessa, coloque o bacalhau misturado com o alho, as cebolas, o iogurte, os pimentões, e a pimenta-do-reino. Regue com limão, azeite e vinagre. Enfeite com azeitonas verdes e sirva com batata de forno.

Serve 4 pessoas

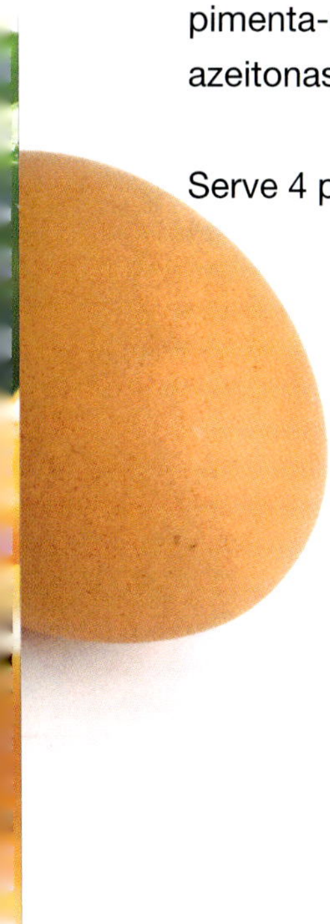

51

CAMARÃO À INDIANA

INGREDIENTES:

½ kg de camarão médio

1 colher (sopa) de azeite

Sal *light*

1 colher (chá) de gengibre em pó

2 pitadas de cominho em pó

1 maçã ácida picada

Pimenta-do-reino branca

1 cebola média picada

1 copo de leite desnatado

1 tomate sem pele e sem sementes

1 colher (café) de canela em pó

MODO DE FAZER:

Cozinhe o camarão sem casca. Refogue em azeite e alho. Refogue a cebola, o tomate e acrescente o leite, a canela, o gengibre, o cominho, o sal, a pimenta e acrescente ao camarão. Por último, coloque as maçãs e deixe cozinhar por 15 minutos em fogo brando.

Serve 4 pessoas

MOLHO AO *CURRY*

INGREDIENTES:

1 colher (chá) de *curry*

1 colher (sopa) de azeite

2 copos de iogurte natural desnatado

1 pitada de mostarda em pó

1 colher (chá) de vinagre branco

Sal *light*

1 colher (sopa) de cebola picadinha

Salsinha

MODO DE FAZER:

Bata tudo no liquidificador. Acompanha aves.

53

MOLHO DE AIPO

INGREDIENTES:

1 xícara (chá) de aipo picado

2 copos de iogurte natural desnatado

1 colher (sopa) de azeite

Salsinha

Cebolinha

1 colher (sopa) de cebola picadinha

1 pitada de pimenta-do-reino branca

1 folha de hortelã

MODO DE FAZER:

Bata tudo no liquidificador. Acompanha carnes claras, grelhados e peixes.

MOLHO TÁRTARO *LIGHT*

INGREDIENTES:

4 colheres de picles picadinho
2 colheres de cebola picadinha
Salsinha
Sal *light*
1 colher (chá) de vinagre branco
Pimenta-do-reino branca
1 pimentão vermelho picado
2 xícaras de iogurte natural desnatado
3 ovos cozidos
1 colher (sopa) de alcaparras

MODO DE FAZER:

Acrescente ao iogurte os pimentões, os ovos picados, a cebola picada, o vinagre, o sal, os picles e a salsinha. Por último, as alcaparras e a pimenta-do-reino. Acompanha grelhados.

55

MOLHO AGRIDOCE DE DAMASCO *LIGHT*

INGREDIENTES:

200 g de damasco seco

2 colheres de vinagre branco

20 gotas de adoçante

1 litro de água

Sal *light*

MODO DE FAZER:

Coloque os damascos em água por algumas horas e cozinhe em fogo brando. Acrescente o adoçante e o vinagre com o sal. Bata no liquidificador até obter um creme. Serve com peru, pato ou galinha.

56

BIFE A CAVALO À MODA DO CHEFE

INGREDIENTES:

1 bife de filé *mignon*

1 ovo

1 fatia de peito de peru

1 fatia de queijo branco

1 colher (chá) de óleo de canola

Sal *light*

1 dente de alho

Queijo ralado

Pimenta-do-reino em grão

MODO DE FAZER:

Tempere o bife com sal *light* e pimenta-do-reino. Doure o alho e grelhe o bife. Acrescente o peito de peru e a fatia de queijo branco. Faça o ovo pochê e coloque por cima. Salpique com queijo ralado e grãos de pimenta-do-reino.

57

PEIXE COM TOMILHO

INGREDIENTES:

4 postas de peixe
Suco de 2 limões
Sal *light*
1 colher (chá) de azeite
Tomilho a gosto
1 colher (sopa) de vinagre branco
Pimenta-do-reino branca
Salsinha

MODO DE FAZER:

Tempere o peixe com sal, limão e pimenta-do-reino. Acrescente o tomilho. Regue com azeite e leve ao forno brando. Enfeite com salsinha.

Serve 4 pessoas

FILÉ *AU POIVRE* COM QUEIJO DE CABRA

INGREDIENTES:

4 filets mignon de 200 grs cada
2 colheres (sopa) de óleo de canola
1 cálice de conhaque
100 g de queijo de cabra picado
2 colheres (sopa) de pimenta-do-reino em grãos
Sal *light*
Vinagre branco

MODO DE FAZER:

Tempere a carne com sal, vinagre, limão e pimenta-do-reino. Grelhe com óleo por três minutos de cada lado. Acrescente o conhaque. Coloque os grãos de pimenta-do-reino. Por último, o queijo de cabra que se derreterá. Sirva com salada verde.

Serve 4 pessoas

61

PASTA DE OVO

INGREDIENTES

4 ovos cozidos
Pimenta-do-reino
1 colher (chá) de azeite
Sal *light*
Salsinha
Cebolinha
50 g de ricota amassada
Pimenta-do-reino branca

MODO DE FAZER:

Misture tudo e acrescente o azeite até formar uma pasta consistente. Sirva com canapés ou torradas.

PASTA DE AZEITONAS

INGREDIENTES:

100 g de azeitonas verdes picadas
1 colher (sopa) de azeite
100 g de ricota
Orégano
1 colher (chá) de vinagre branco
Salsinha
1 colher (sopa) de queijo-de-minas cremoso
1 copo de leite desnatado
Sal *light*

MODO DE FAZER:

Misture a ricota, as azeitonas amassadas, o vinagre, a salsinha, o orégano, o queijo cremoso e acrescente o azeite. Bata no liquidificador acrescentando o leite até obter a consistência de creme. Sirva com canapés em torradas ou pãezinhos. Enfeite com pedacinhos de azeitonas sobre os canapés.

63

RISOTO DE BANANA E CARNE MOÍDA

INGREDIENTES:

2 xícaras de arroz integral
1 cebola média picada
2 dentes de alho
2 bananas-prata em fatias
Salsinha
Sal *light*
1 colher (sopa) de óleo de canola
2 colheres (sopa) de ervilha
200 g de carne moída
100 g de queijo branco picado
Orégano
Queijo ralado

MODO DE FAZER:

Cozinhe o arroz e refogue com alho e cebola no óleo de canola. Faça a carne moída como de costume e acrescente o orégano. Em uma travessa refratária coloque o arroz e, por cima a carne moída, a banana picada e o queijo. Enfeite com salsinha. Leve ao forno para derreter o queijo. Polvilhe com queijo ralado.

Serve 4 pessoas

64

ARROZ DE SALMÃO

INGREDIENTES:

2 xícaras de arroz sete grãos
1 colher (sopa) de óleo de canola
2 dentes de alho
Sal *light*
200 g de salmão defumado
Suco de 1 limão
1 colher (chá) de vinagre branco
1 colher (sopa) de páprica picante
1 xícara de iogurte natural desnatado
1 pitada de gengibre em pó
1 copo de champignon em conserva
Salsinha

MODO DE FAZER:

Refogue o alho em óleo e misture o salmão com a páprica, o vinagre, gengibre, limão, sal e salsinha. Acrescente o iogurte desnatado e o champignon. Misture no arroz e enfeite com salsinha e pedacinhos de salmão.

Serve 4 pessoas

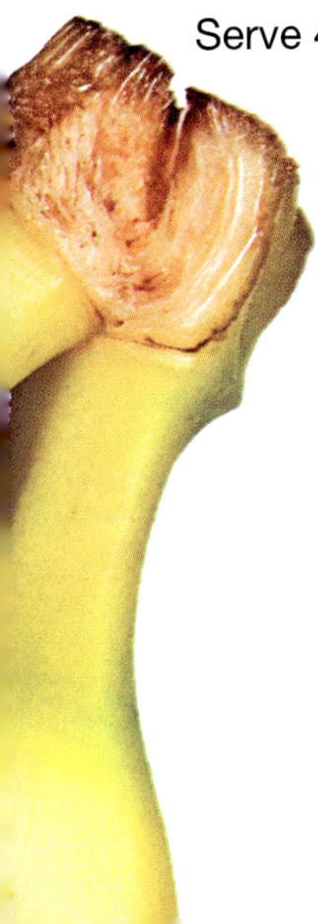

65

CREME DE PALMITO

INGREDIENTES:

500 g de palmito
Noz-moscada
Sal *light*
2 xícaras de leite desnatado
1 colher (sopa) de azeite
1 pitada de mostarda em pó
1 colher (sopa) de ricota
Pimenta-do-reino branca
Salsinha
Cebolinha

MODO DE FAZER:

Bata tudo no liquidificador. Cozinhe em fogo brando por 20 minutos. Enfeite com folhinhas de salsinha. Sirva frio.

Serve 4 pessoas

66

CREME DE ESPINAFRE

INGREDIENTES:

1 maço de espinafre
1 cebola média picada
2 dentes de alho
1 xícara de leite desnatado
Pimenta-do-reino a gosto
1 colher (chá) de azeite
1 colher (chá) de ricota
Sal *light*

MODO DE FAZER:

Cozinhe o espinafre em água e sal. Refogue com azeite, cebola e alho. Bata no liquidificador leite e queijo até formar um purê. Sirva quente.

Serve 4 pessoas

67

MOLHO DE MARACUJÁ *LIGHT*

INGREDIENTES:

1 xícara de suco de maracujá natural
½ xícara de água
1 colher (chá) de páprica picante
1 colher (chá) de vinagre branco
Sal *light*
1 pitada de canela em pó
2 colheres (sopa) de iogurte natural desnatado

MODO DE FAZER:

Bata tudo no liquidificador. Leve para a geladeira até a hora de servir. Acompanha peixes, carnes vermelhas e carnes brancas.

SOPA DE CENOURA À MODA ORIENTAL

INGREDIENTES:

1 kg de cenoura em pedaços pequenos
1 cebola média em pedaços
1 xícara de leite desnatado
1 colher (sopa) de *curry*
2 colheres (sopa) de gengibre ralado
1 colher (chá) de suco de limão
1 colher (sopa) de cebolinha picada
2 dentes de alho
1 colher (sopa) de azeite
Sal *light*
Salsinha

MODO DE FAZER:

Cozinhe a cenoura com o *curry* e refogue com alho, cebola e azeite. Bata com o leite, o limão, a cebolinha e o gengibre. Enfeite com salsinha.

Serve 4 pessoas.

69

MOLHO DE PEPINO COM HORTELÃ

INGREDIENTES:

10 pepinos em conserva picados
4 colheres de sopa de hortelã picada
2 copos de iogurte desnatado natural
100 g de aipo picado

MODO DE FAZER:

Bata tudo no liquidificador. Enfeite com folhas de hortelã. Acompanha carnes.

MOLHO DE MAIONESE VERDE *LIGHT*

INGREDIENTES:

1 xícara de iogurte natural desnatado
4 colheres (sopa) de salsinha picada
2 colheres (sopa) de cebolinha picada
1 colher (sopa) de vinagre branco
1 colher (café) de manjericão picado
1 colher (café) de hortelã picada
1 colher (sopa) de azeite
Sal *light*
1 pitada de mostarda em pó

MODO DE FAZER:

Bata no liquidificador os ingredientes até atingir a consistência de creme. Acompanha saladas verdes e carnes frias.

TEPPAN DE LEGUMES

INGREDIENTES:

1 abobrinha em rodelas finas
1 berinjela em rodelas finas
5 buquês de couve-flor
1 cenoura cortada em rodelas finas
1 xícara (chá) de cogumelos
1 colher (sopa) de shoyu *light*
Sal *light*
2 dentes de alho
1 colher (chá) de azeite
1 pitada de raiz forte

MODO DE FAZER:

Misture os legumes e refogue em alho e azeite. Em uma frigideira grande coloque o shoyu e cozinhe em fogo baixo os legumes. Acrescente a raiz forte.

Serve 4 pessoas

BOLO DE CARNE MOÍDA

INGREDIENTES:

500 g de carne moída
1 cebola grande picada
1 dente de alho amassado
1 ovo batido
½ xícara de água quente
½ xícara de flocos de aveia
Caloinha
Cebolinha
50 g de azeitonas verdes

MODO DE FAZER:

Misture os ingredientes e coloque em uma forma untada coberta com papel alumínio. Leve ao forno brando por 40 minutos. Enfeite com azeitonas picadinhas.

Serve 4 pessoas

ABOBRINHA RECHEADA COM CARNE E PINHÃO

INGREDIENTES:

4 abobrinhas pequenas
100 grs de pinhão cozido
½ kg de carne cozida cortada em fatias
6 tomates cortados em rodelas
3 cebolas picadas
Colheres de chá de azeite
4 folhas de hortelã
Sal *light*
Pimenta síria
Gotas de limão
10 g de pinhão cozido

MODO DE FAZER:

Doure a cebola no azeite. Junte os pinhões, a carne, o sal, a pimenta, o limão e as folhas de hortelã. Leve ao fogo e acrescente o tomate, o azeite e a cebola. Recheie as abobrinhas.

Serve 4 pessoas

74

ENSOPADO DE GALINHA COM GRÃO-DE-BICO

INGREDIENTES:

½ kg de frango cortado em pedaços
2 xícara (chá) de grão-de-bico cozido
2 cebolas médias cozidas
Sal *light*
1 colher (sopa) de azeite
2 dentes de alho
2 colheres (sopa) de pimenta doce
1 colher (sopa) de vinagre branco
2 colheres (sopa) de iogurte desnatado natural

MODO DE FAZER:

Tempere o frango com sal e vinagre. Refogue com alho, cebola, azeite e doure bem o frango. Acrescente a pimenta doce, o iogurte e o grão-de-bico. Sirva com arroz selvagem.

Serve 4 pessoas

75

ENROLADO DE REPOLHO À MODA ARABE

INGREDIENTES:

½ repolho médio
½ kg de músculo cozido em fatias
2 tomates cortados em rodelas
2 dentes de alho
Folhas de hortelã
Sal *light*
Suco de 2 limões
Pimenta síria
2 cebolas médias picadas
5 nozes picadas

MODO DE FAZER:

Cozinhe as folhas do repolho e reserve. Faça um refogado com a carne dourando o tomate em azeite, a cebola e o alho. Acrescente a esta mistura o suco de limão, a hortelã, as cebolas picadas e as nozes. Enrole as folhas de repolho na carne e salpique de pimenta síria. Sirva com arroz e lentilha.

Serve 4 pessoas

FRANGO AO MOLHO DE MOSTARDA

INGREDIENTES:

½ frango
Sal *light*
1 copo de iogurte desnatado natural
1 colher (sopa) de vinho branco
2 colheres (sopa) de mostarda em pó
Salsinha
Cebolinha
1 colher (sopa) de azeite
1 colher (café) de orégano
1 dente de alho
1 cebola média picada

MODO DE FAZER:

Tempere o frango com o sal e doure-o com azeite, alho e cebola. Acrescente o iogurte, a mostarda, o orégano, o vinho branco, a salsinha e a cebolinha. Deixe cozinhar por 30 minutos em fogo brando até engrossar o molho.

Serve 4 pessoas

CAÇAROLA DE LEGUMES

INGREDIENTES:

1 repolho pequeno

2 alhos porós

Salsinha

2 batatas cortadas em cubos

1 nabo picado

2 cebolas médias picadas

2 dentes de alho

Caldo de carne natural

Queijo ralado

1 copo de água

1 pitada de gengibre

MODO DE FAZER:

Lave e corte as folhas do repolho.

Coloque na panela o repolho com o salsão, o nabo e as batatas em caldo de carne. Junte o sal, a salsinha, o gengibre e o alho. Cozinhe em fogo brando por 30 minutos. Sirva quente e polvilhe com queijo ralado.

Serve 4 pessoas

78

PIMENTÕES RECHEADOS COM FRANGO

INGREDIENTES:

4 pimentões grandes
400 g de frango cozido desfiado
Sal *light*
1 colher (sopa) de azeite
1 tomate sem semente
Salsinha
30 g de uvas passas brancas
1 cebola média picadinha
2 dentes de alho
Queijo ralado

MODO DE FAZER:

Refogue o frango em alho, cebola e azeite. Coloque o tomate e a salsinha. Acrescente a uva passa. Recheie os pimentões com esta mistura. Coloque em uma travessa refratária e leve ao forno brando para cozinhar por 30 minutos. Polvilhe queijo ralado para servir.

Serve 4 pessoas

79

LINGUADO COM PÊSSEGOS E NOZES

INGREDIENTES:

4 filés de linguado
Sal *light*
1 colher (café) de *curry*
4 pêssegos cozidos picados
50 g de nozes picadas
1 colher (chá) de azeite
Suco de 1 laranja
1 pitada de estragão

MODO DE FAZER:

Tempere o peixe com sal, estragão e *curry*. Doure com azeite. Junte os pêssegos ao suco da laranja e faça um molho. Coloque por cima do linguado e acrescente as nozes picadas. Leve ao forno brando por 30 minutos.

Serve 4 pessoas

CAMARÕES COM TOMATES

INGREDIENTES:

250 g de camarões grandes
Suco de 2 limões
1 cebola média picada
1 dente de alho
1 colher (sopa) de azeite
5 tomates sem pele e sem sementes
Sal *light*
Pimenta-do-reino
10 folhas de coentro
1 colher (chá) de vinagre branca

MODO DE FAZER:

Doure a cebola no azeite e no alho. Junte os tomates, o sal e a pimenta-do-reino. Faça um molho bem consistente e coloque o coentro. Ferva os camarões. Refogue em azeite e alho. Coloque os camarões para cozinhar no molho de tomate. Sirva com arroz selvagem.

Serve 4 pessoas

81

ESPUMA DE MORANGO *DIET*

INGREDIENTES:

6 claras

1 caixa de gelatina *diet* de morango

½ copo de gelatina em pó sem sabor

1 pote de iogurte de morango *diet*

MODO DE FAZER:

Dissolva a gelatina em ½ copo de água fria. Leve ao fogo em banho-maria até ficar transparente. Retire do fogo e acrescente o iogurte. Reserve. Bata as claras em neve, acrescente ao iogurte e coloque na geladeira em taças.

Serve 4 pessoas

MUSSE DE MARACUJÁ *LIGHT*

INGREDIENTES:

200 ml de água
200 ml de leite evaporado
20 gotas de adoçante
200 ml de suco de maracujá *light*
1 ½ envelope de gelatina sem sabor

MODO DE FAZER:

Dissolva a gelatina em banho maria na água. Bata o leite até dobrar de volume. Bata no liquidificador a gelatina junto com os outros ingredientes. Coloque nas taças e leve à geladeira.

Serve 4 pessoas

83

PUDIM DE RICOTA COM DAMASCO

INGREDIENTES:

200 g de ricota

100 g de damascos picados.

1 envelope de gelatina *diet* de abacaxi

1 xícara de água quente

MODO DE FAZER:

Dissolva a gelatina em água quente. Bata no liquidificador com o damasco e a ricota. Coloque em taças e leve à geladeira.

Serve 4 pessoas

84

MUSSE DE LIMÃO COM CALDA DE MORANGO

INGREDIENTES

1 envelope de gelatina *diet* sem sabor
8 claras em neve
½ xícara de chá de calda de limão
4 colheres (sopa) de leite em pó desnatadao.
12 g de adoçante

MODO DE FAZER:

Dissolva a gelatina conforme as instruções. Bata as claras em neve e adicione à gelatina, ao leite e ao adoçante.

CALDA:

1 pote de gelatina de morango *diet*
2/3 de xícara de água

MODO DE FAZER:

Bata todos os ingredientes no liquidificador. Coloque por cima da musse.

Serve 8 pessoas

85

MUSSE DE KIWI

INGREDIENTES:

1 xícara (chá) de suco de kiwi
1 xícara (chá) de água
2 claras batidas em neve
½ xícara (chá) de creme de leite *light*
1 envelope de gelatina em pó sem sabor
Adoçante em pó a gosto

MODO DE FAZER:

Misture o suco, a água, o adoçante e leve ao fogo. Dissolva a gelatina em quatro colheres de sopa de água fria e acrescente o suco quente. Retire do fogo. Acrescente o creme de leite e as claras batidas em neve. Coloque em taças e leve à geladeira por uma hora. Enfeite com fatias de kiwi.

Serve 4 pessoas

86

ASPIC DE LEGUMES

INGREDIENTES:

1 xícara (chá) de alface americana
1 xícara de espinafre cozido
1 xícara (chá) de cenoura cozida picada
50 g de azeitonas picadas
Sal *light*
2 envelopes de gelatina sem sabor
Suco de limão

MODO DE FAZER:

Misture a alface, o espinafre, a cenoura, as azeitonas, o sal, o limão, o azeite e reserve. Dissolva a gelatina em água, leve ao microondas por 20 segundos. Misture os legumes à gelatina e coloque em uma forma grande. Desenforme e enfeite com folhas de alface.

Serve 4 pessoas

87

BERINJELA AO FORNO AGRIDOCE

INGREDIENTES:

1 berinjela
1 colher (sopa) de azeite
1 dente de alho
1 cebola grande picada
50 g de uva passa
1 pitada de canela em pó
1 colher (sopa) de vinagre branco
100 g de queijo-de-minas
Sal *light*
1 colher (café) de páprica picante
50 g de castanha de caju picada

MODO DE FAZER:

Cozinhe a berinjela. Corte em fatias finas. Refogue em alho, cebola e azeite. Em uma travessa, arrume a berinjela e salpique páprica, o vinagre depois o queijo. Coloque as passas e salpique a canela e a castanha. Regue com azeite e leve ao forno para derreter o queijo.

Serve 4 pessoas

88

SOPA DE ABÓBORA COM AÇAFRÃO

INGREDIENTES:

1 colher (chá) de açafrão

½ xícara de alho poró em fatias

1 pitada de sal *light*

2 xícaras de abóbora cozida

1 pitada de pimenta-do-reino branca

1 xícara de água

1 colher de leite desnatado

1 colher (sopa) de azeite

100 g de peito de frango desfiado cozido

MODO DE FAZER:

Misture o azeite, o sal, a pimenta-do-reino e o alho poró. Cozinhe em fogo brando por três minutos. Acrescente a abóbora e em seguida o frango. Depois, adicione a água e o leite. Por último, o açafrão. Sirva quente.

Serve 4 pessoas

89

PESCADA AO MOLHO DE LARANJA

INGREDIENTES:

4 postas de pescada
1 colher de óleo de canola
Sal *light*
100 g de cogumelos
1 colher (chá) de azeite
4 rodelas de laranja
1 colher (chá) de vinho branco
Suco de 1 laranja

MODO DE FAZER:

Tempere o peixe com sal, vinho branco e suco de laranja. Doure o peixe no azeite. Doure as laranjas no óleo e os cogumelos. Em uma travessa, arrume as laranjas e os cogumelos e, no centro, a pescada. Sirva com purê de mandioquinha.

Serve 4 pessoas

TORTA DE ESPINAFRE COM QUEIJO TOFU

INGREDIENTES:

1 maço de espinafre
2 cebolas picadas
1 xícara de tofu picado
Sal *light*
Noz-moscada
2 xícaras (chá) de farinha de trigo integral
Pimenta-do-reino
1 colher (sopa) de azeite

MODO DE FAZER:

Misture o espinafre à cebola e refogue com azeite. Reserve. Cozinhe em fogo brando. Bata junto com o tofu, o sal, a pimenta, o azeite, a noz-moscada e a farinha. Acrescente o espinafre e a cebola. Coloque em uma forma refratária e asse por 20 minutos em fogo brando.

Serve 4 pessoas

91

DIPP DE MANGA

INGREDIENTES:

½ xícara de iogurte natural desnatado
½ xícara (chá) de essência de baunilha
½ xícara (chá) de queijo cremoso *light*
1 xícara (chá) de manga picada

MODO DE FAZER:

Cozinhe o queijo cremoso em microondas em potência alta. Junte a manga, o iogurte, a baunilha e bata no liquidificador. Sirva gelado com pedacinhos de manga por cima.

Serve 4 pessoas

PEITO DE FRANGO RECHEADO COM QUEIJO E ESCAROLA

INGREDIENTES:

4 filés de frango
Sal *light*
1 colher (sopa) de semente de mostarda
1 colher (sopa) de azeite
Salsinha e cebolinha
100 g de queijo-de-minas picado
200 g de escarola cozida picada
1 cebola média picada
1 dente de alho
50 g de nozes picadas

MODO DE FAZER:

Misture a escarola cozida ao alho, à cebola e ao azeite. Acrescente o sal e a semente de mostarda. Introduza as nozes e o queijo. Coloque no interior do peito de frango e o enrole arrumando sobre uma travessa refratária.

Serve 4 pessoas

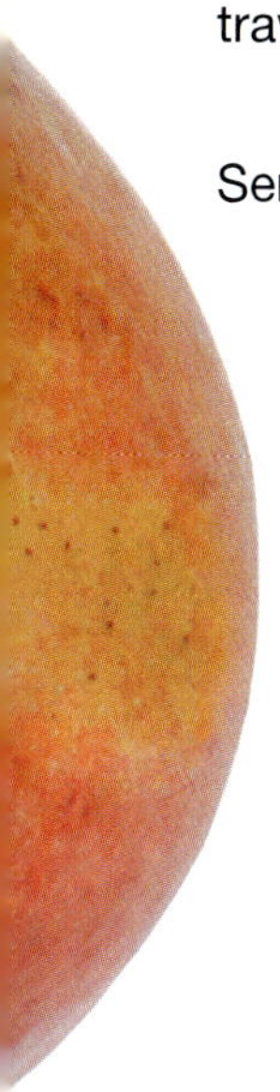

93

OMELETE DE VAGEM COM TOMATE SECO

INGREDIENTES:

4 ovos
1 colher (café) de sal *light*
1 iogurte natural desnatado
100 g de vagem cozida picada
5 tomates secos picados
Pimenta-do-reino
Queijo ralado

MODO DE FAZER:

Misture a vagem já refogada às cebolas e ao tomate seco. Bata as claras em neve e depois as gemas. Recheie com os legumes e feche a omelete. Polvilhe com queijo ralado e pimenta-do-reino.

Serve 4 pessoas

MINIPIZZAS DE BERINJELA

INGREDIENTES:

4 pães árabes médios
250 grs de berinjela fatiada cozida
150 g de queijo-de-minas
1 colher (sopa) de azeite
100 g de grão-de-bico cozido
100 g de tomate fresco
Manjericão
Sal *light*

MODO DE FAZER:

Cozinhe o tomate sem pele e sem semente. Acrescente o sal, o azeite e o manjericão. Faça um molho grosso. Coloque sobre o pão e em seguida a berinjela e o queijo branco. Regue com azeite e enfeite com folhas de manjericão.

Serve 4 pessoas

LASANHA DE LEGUMES VARIADOS

INGREDIENTES:

½ kg de abobrinha cozida em tiras
½ kg de berinjela cozida em tiras
½ kg de cenoura picada
Salsinha
Cebolinha
1 colher de sopa de azeite
Orégano
1 cebola média picada
1 copo de queijo-de-minas cremoso
Queijo ralado

MODO DE FAZER:

Em uma travessa untada arrume a berinjela, por cima o queijo e o orégano. Cubra com a cebolinha e a salsinha, depois a camada de abobrinha e repete-se até acabar os legumes. Por cima, coloque a cenoura picada regando com azeite, queijo ralado e pimenta-do-reino.

Serve 4 pessoas

RISOTO DE PERU COM FRUTAS

INGREDIENTES:

2 xícaras de arroz integral
1 colher (sopa) de azeite
1 colher (sopa) de óleo de canola
Sal *light*
2 dentes de alho
1 cebola média picada
5 fatias médias de peito de peru
2 colheres (sopa) de ervilha
Salsinha
1 colher (sopa) de vinho branco
2 figos picados
2 mangas picadas
Suco de 1 laranja

MODO DE FAZER:

Refogue o peito de peru com o azeite, o alho e a cebola. Doure bem e cozinhe em fogo brando. Acrescente as ervilhas, a salsinha, a cebolinha e o vinho branco. Misture ao arroz. Acrescente a mistura das frutas picadas no molho de laranja. Regue o arroz com o molho de laranja e por cima o azeite. Enfeite com salsinha.

Serve 4 pessoas

97

SALADA DE HORTELÃ COM MUSSARELA DE BÚFALA

INGREDIENTES:

100 g de mussarela de búfala
1 maço de hortelã
½ manga picada
2 colheres (sopa) de azeite
50 g de amêndoas picadas
Sal *light*
4 palmitos em rodelas
2 colheres (sopa) de vinagre branco
1 pitada de mostarda em pó

MODO DE FAZER:

Misture todos os ingredientes, tempere com sal, vinagre, azeite e mostarda em pó. Enfeite com as amêndoas picadas e as mangas em pedaços.

Serve 4 pessoas

ENSOPADO DE FRANGO COM AMEIXA

INGREDIENTES:

½ kg de peito de frango cozido
1 colher (sopa) de óleo de canola
1 cebola média picadinha
1 colher (sopa) de vinho tinto
4 cenouras em tirinhas cozidas
1 xícara de chá de salsão picado cozido
1 xícara (chá) de ameixa preta sem caroço picada
1 dente de alho

MODO DE FAZER:

Doure o alho, as cebolas e coloque em uma panela com o frango para cozinhar. Acrescente as cenouras, o salsão e o vinho tinto. Por último, coloque as ameixas pretas. Sirva com arroz sete grãos.

Serve 4 pessoas

99

PATO COM LARANJA

INGREDIENTES:

1 kg de peito de pato cortado em pedaços

Ramos de tomilho

1 cenoura grande ralada

Pimenta-do-reino branca a gosto

Sal *light*

2 colheres de azeite extravirgem

6 rodelas de laranja

MODO DE FAZER:

Em uma travessa refratária untada, coloque o pato temperado com sal e pimenta-do-reino. Sobre o pato coloque o tomilho, as rodelas de laranja e a cenoura ralada e azeite. Cubra com papel alumínio. Asse em forno por 30 minutos.

Serve 4 pessoas

PEIXE COZIDO AO LEITE DE COCO

INGREDIENTES:

1 kg de peixe
3 tomates sem semente e sem pele
3 colheres de chá de coentro picado
2 cebolinhas verdes picadas
Salsinha
1 cebola média picada
1 pimentão verde picado
Sal *light*
1 colher (sopa) de azeite extravirgem
2 colheres (sopa) de leite de coco

MODO DE FAZER:

Coloque em uma panela o tomate, o azeite, o coentro, a cebolinha, o sal e o azeite. Acrescente a água e o pimentão e cozinhe o peixe neste molho e acrescente o leite de coco. Sirva com arroz arbório.

Serve 4 pessoas